C000079004

Lily

ET LA MAGIE DÉFENDUE

Titre original : *Lily* Book 1
Copyright © Holly Webb 2011
First published in 2011 by Orchard Books,
a division of Hachette Children's Books, London UK

© Flammarion pour la traduction française, 2013
87, quai Panhard-et-Levassor – 75647 Paris Cedex 13
ISBN : 978-2-0812-9974-0

HOLLY WEBB

Lily

ET LA MAGIE DÉFENDUE

Traduit de l'anglais (Grande-Bretagne)
par Faustina Fiore

Flammarion

Pour Alice, Sydney et Tom

1

Lily ne quittait pas l'eau des yeux. Il était très tôt – elle ignorait l'heure exacte, mais les servantes venaient à peine d'allumer le poêle quand elle s'était glissée dehors, par la porte de service du manoir de Merrythought. On était au beau milieu de l'été, et le soleil déjà chaud se reflétait sur les vaguelettes. Cette lumière dure et argentée semblait tracer une route à travers la mer gris-bleu, une route si nette qu'elle avait l'air presque tangible. Lily avait envie de s'y engager, et de traverser le bras de mer. Elle tendit un pied sans y songer, et l'aurait peut-être plongé dans l'eau si Peter ne l'avait rattrapée par le coude en poussant un soupir de dédain.

Lily cligna des yeux et se tourna vers lui. Il avait croisé les bras et la toisait, le nez plissé, comme s'il s'efforçait de ne pas rire. Elle le regarda de travers.

— Quoi ? Je n'avais pas l'intention de marcher dessus pour de bon !

Elle soupira, s'assit sur les cailloux chauds, et rouvrit son livre. Elle n'y comprenait pas grand-chose – c'était un épais grimoire sur les charmes, qu'elle avait trouvé dans le placard des services en porcelaine –, mais elle s'entêtait. Elle aurait *dû* comprendre. Après tout, ses deux parents étaient des magiciens, et sa sœur était un vrai génie. Alors pourquoi Lily n'était-elle même pas capable de faire pousser ses propres ongles ? Elle tendit les doigts, mais ses ongles restèrent larges et courts – et sales. Lily poussa un second soupir, agacée, et regarda à nouveau l'eau, distraite une fois de plus dans sa lecture par la vue. Sous cet angle, la route n'était plus que le reflet du soleil sur la mer, et la terre au loin qu'une tache sombre à l'horizon.

— Ça avait vraiment l'air d'un chemin, pourtant, n'est-ce pas ? murmura-t-elle en se tournant vers Peter. Je me demande comment c'est, là-bas...

Peter s'éloigna à grands pas, et Lily tressaillit en entendant les cailloux rouler sous ses pieds. Elle oubliait souvent que, contrairement à elle, il n'était pas né sur cette île. Il connaissait la vie de l'autre côté, et elle n'aurait pas dû lui rappeler ces souvenirs.

Elle se leva et le suivit sur le sentier qui remontait vers la falaise, en direction de la maison. Peter devait se dépêcher : quelqu'un se demandait probablement déjà où il était. Plus robuste qu'elle, il arriva en haut le premier, et se retourna pour lui adresser un salut de la main avant de traverser la prairie à toute allure. Lily n'essaya pas de le rattraper. Il valait mieux qu'ils ne rentrent pas ensemble : Peter n'était pas censé perdre son temps à « courir après cette sale gamine », comme l'avait dit la veille Mrs Porter, la cuisinière. Elle marcha lentement dans l'herbe haute, donna un coup de pied à un pissenlit, et regarda les aigrettes s'envoler, portées par le vent. Jusqu'où pouvaient-elles aller ? Il était difficile de les distinguer contre le ciel éblouissant, mais peut-être parcourraient-elles plusieurs lieues, et répandraient-elles les pissenlits de Merrythought dans toute l'Angleterre.

Elle s'approchait de la maison, les mains pleines de pissenlits sur lesquels elle soufflait, quand elle s'arrêta net et cessa de respirer. La chaleur du soleil sembla se dissiper instantanément.

Une silhouette était apparue à l'angle de la maison, avec une soudaineté étrange, comme si elle n'était pas venue en marchant, mais avait brusquement été là.

Tremblante, Lily s'obligea à lui adresser un sourire forcé et un petit salut, tandis que la femme en noir s'inclinait poliment et reculait pour la laisser passer. C'était logique, puisqu'elle n'était que femme de chambre, tandis que Lily était la fille de la maîtresse de maison ; mais cela semblait artificiel. Lily fila aussitôt, se hâtant de tourner au coin de la demeure. Elle sentait le regard de Marten dans son dos.

Lily ne savait pas ce qui l'effrayait tant chez Marten. Peut-être ses vêtements de deuil ; Marten ne portait jamais rien d'autre. Une robe de laine noire, été comme hiver, ainsi qu'un voile et des gants, même à l'intérieur. Les autres domestiques supposaient qu'il s'agissait d'une coutume étrangère, mais ils s'étaient habitués à elle. Marten était au service de la mère de Lily depuis des années.

Quand elle fut hors de vue, sur le chemin qui contournait la maison et menait aux cuisines, Lily se plaqua contre le mur, dans l'ombre, et s'efforça de retrouver son calme. Elle ne s'affolait pas toujours ainsi, mais Marten avait surgi devant elle par surprise, ou du moins était-ce son impression. Haletante, encore étourdie, Lily courut vers les cuisines. Elle avait envie de chaleur, de lumière, et de compagnie, aussi maussade soit-elle.

Malgré les éclats de voix de Mrs Porter, la cuisine lui parut accueillante après cette apparition sinistre. Avec une pointe de culpabilité, Lily remarqua qui était l'objet du courroux de la cuisinière. Peter était effectivement arrivé en retard.

— Paresseux ! Bon à rien ! Tu vas te balader alors que nous n'avons presque plus de bois pour le feu ! Il faut que je prépare le petit déjeuner de Madame – des petits pains, ce matin, s'il vous plaît ! – et je n'ai pas de feu ! Où étais-tu, hein ?

Peter haussa les épaules en prenant un air benêt. Une attitude très utile, qu'il maîtrisait à la perfection.

La cuisinière pivota soudain sur elle-même, toujours vociférante :

— Et peut-on savoir pourquoi vous restez recroquevillée dans un coin, Miss ? Qu'est-ce qui vous prend ? On dirait que vous avez vu un fantôme !

Les deux jeunes servantes qui étaient en train de boire leur thé sur la grande table en bois sursautèrent ensemble et posèrent sur Lily un regard apeuré.

— Ce n'est pas le cas, Miss Lily, n'est-ce pas ? supplia Violette, les yeux écarquillés.

— Bien sûr que non, s'exclama Martha, qui jetait néanmoins des coups d'œil craintifs autour d'elle.

— Non, non, pas de fantôme, répondit Lily. Seulement Marten. Elle m'a... surprise, ajouta-t-elle, consciente d'être ridicule.

— Pff... fit Mrs Porter. Ce qui me surprendrait, moi, Miss Lily, ce serait que vous passiez toute une matinée sans venir dans ma cuisine, et sans entraîner ce garçon à droite et à gauche juste au moment où j'ai besoin de lui !

— Je suis désolée...

Lily recula vers la porte. Elle avait vu Mrs Porter lancer un regard noir à un papier couvert d'une écriture pointue sur la table. L'écriture de Maman. Lily avait soigneusement évité sa mère au cours des dernières semaines, mais de toute évidence, la mauvaise humeur de celle-ci se communiquait désormais aux domestiques. L'air lui-même semblait crépiter, débordant d'une magie furieuse qui jouait avec les nerfs de tout le monde.

— Cessez de gigoter, Miss !

Mrs Porter lui mit une vieille serviette dans les mains, puis ordonna à Martha d'y mettre un morceau de pain et de fromage.

— Et maintenant, retournez à votre place, à l'étage !

Lily sortit de la cuisine sans prendre le risque de réclamer autre chose – elle avait déjà vu Mrs Porter jeter des assiettes à la tête de Martha quand Maman exigeait des menus sortant de l'ordinaire, et la cuisinière ne visait pas très bien.

— Miss ! Miss Lily !

Le chuchotement de Martha la rattrapa le long du couloir sombre qui menait vers les pièces nobles. Lily se retourna, inquiète.

— Qu'y a-t-il, Martha ? Il ne faut pas que Mrs Porter te surprenne. Elle est d'assez mauvaise humeur comme ça.

— Tenez. Ce quignon de pain et cette miette de fromage ne suffiraient pas à nourrir une souris.

Martha cacha quelques biscuits et une pomme dans la serviette, et déposa un baiser sur la joue de Lily.

— Ne vous approchez plus de la cuisine, d'accord ? La vieille bique est sur le point d'exploser. Madame ne cesse de se plaindre, et Mr Francis a fait des remarques sur le lapin servi au souper hier soir. Il n'a même pas osé mettre un pied dans la cuisine, aujourd'hui, précisa Martha en riant sous cape. Il se cache dans son bureau, soi-disant pour compter l'argenterie.

Lily embrassa Martha.

— Je ne viendrai pas, promis. Surtout, baisse-toi si tu la vois attraper la bassine à confiture, d'accord ?

Elle salua la jeune femme de la main, mordit dans la pomme avec reconnaissance, et s'enfuit. Elle se dirigea vers l'orangerie, une des pièces du manoir de Merrythought que tout le monde avait oubliées. Cela avait été autrefois un très joli jardin d'hiver, avec une fontaine, et un beau poêle émaillé pour garder les arbres au chaud, mais les plantes étaient mortes depuis longtemps, et la fontaine bouchée par les feuilles. L'endroit idéal pour se cacher.

***

Lily passa la main sur le charbon pour effacer le dessin. Il était raté. Elle soupira, et

16

serra ses genoux contre sa poitrine en essayant de comprendre ce qui clochait dans l'image. S'apercevant que sa vieille robe était sale, elle gratta quelques taches sur le coton d'un bleu passé, en vain. Ce n'était pas juste de la poussière de charbon, mais la crasse accumulée pendant plusieurs semaines. Par ailleurs, la robe était trop petite. Elle couvrait à peine ses genoux, et les boutons menaçaient de craquer. Lily avait besoin d'une nouvelle tenue. Mais pour ça, il aurait fallu en réclamer une.

Ce n'était pas le moment.

La maison frémissait de colère, encore plus que le matin. Lily ne savait pas ce qui se passait, mais quand elle était sortie à pas de loup de l'orangerie, tout à l'heure, elle avait vu Maman aller et venir dans le couloir. La soie dorée de sa robe bruissait de fureur. Maman marchait toujours en long et en large quand elle était fâchée, en faisant claquer ses jupons comme les voiles d'un navire de guerre. Lily avait rebroussé chemin juste à temps. Il valait mieux rester hors de vue, et laisser Maman se déchaîner contre le reste de la maisonnée. Son visage était blanc, et elle grommelait, entre ses dents, des mots si forts que Lily pouvait presque les voir. Lily avait songé à avertir Georgiana, mais cela faisait des semaines qu'elle n'avait pas vu sa sœur. Celle-ci se trouvait probablement dans la bibliothèque. C'était de là que venait Maman, et Georgiana était presque toujours enfermée dans cette pièce, pour étudier.

Lily s'autorisa à éprouver un certain ressentiment envers sa sœur, si intelligente, si exceptionnelle. Mais il ne dura pas longtemps. Au cours des derniers mois, elle avait cessé d'envier Georgiana. Lily ne tenait pas à concentrer sur elle toute l'attention de sa mère, ni même la moitié. Être la plus jeune et la moins intéressante présentait aussi des avantages, qui compensaient largement les robes trop petites et les repas pris en cuisine.

Elle échappait aux leçons, pour commencer.

Georgiana suivait constamment des cours, et Lily soupçonnait que si Maman était actuellement d'une humeur massacrante, c'était parce que sa sœur n'obtenait pas les résultats escomptés. Georgie était censée devenir très puissante. À sa naissance, la voyante que ses parents avaient fait venir sur l'île avait juré que c'était l'élue, l'enfant que toutes les familles de magiciens attendaient. Celle qui remettrait de l'ordre dans le monde, celle grâce à qui la magie ne serait plus illégale, si bien que ceux qui la pratiquaient sortiraient de leur exil.

Maman n'avait pas convoqué de voyante pour le bébé qui était arrivé juste après Georgiana. Pourquoi l'aurait-elle fait, alors qu'elle avait déjà sa chère petite Georgie ? Lily ne l'intéressait pas, et personne ne se souciait vraiment d'elle. Un petit sourire satisfait flotta sur les lèvres de Lily. Être la sœur cadette d'un miracle était plus facile à supporter quand le miracle ne se révélait pas aussi formidable qu'on l'espérait.

Mais son sourire s'effaça vite. Si c'était à cause de Georgie que Maman était dans un tel état...

Elle s'aperçut qu'elle avait faim, et examina à travers les vitres fendues le soleil, déjà très haut. Ce devait être l'heure de déjeuner.

Elle jeta un coup d'œil plein d'espoir à la serviette, qu'elle avait pliée et posée près de la porte-fenêtre qui donnait sur le jardin. Elle avait si faim qu'il était impossible qu'elle ait mangé tout le pain et le fromage... Mais la serviette était désespérément vide, et une petite souris grise était juste en train de s'emparer des dernières miettes. L'animal se figea une seconde quand elle se rendit compte que Lily l'avait vue, et plongea ensuite dans une crevasse du mur.

Lily frissonna. La vieille orangerie était infestée par les rongeurs, comme le reste du manoir. Les chats de Maman étaient bien trop fiers et gâtés pour leur courir après, et les souris trottaient partout, sauf dans la bibliothèque. Lily était certaine qu'aucune d'entre elles n'oserait y pointer ne serait-ce que ses moustaches.

Un autre mouvement la fit sursauter et se retourner avec effroi. Mais ce n'était pas une souris prête à lui passer sur les pieds. Une toute petite grenouille s'était assise au milieu du dessin au charbon à moitié effacé, l'air dubitatif.

Lily sourit. Bizarrement, alors qu'elle ne supportait pas les souris – peut-être à cause de leur queue rose et nue –, elle trouvait les grenouilles drôles et charmantes. Elles avaient envahi l'orangerie quelques jours plus tôt, et elle espérait presque qu'elles resteraient là.

La grenouille était d'ailleurs assise sur un mauvais croquis d'elle-même, ou de l'une de ses centaines de frères et sœurs. Lily n'arrivait pas à leur faire des pattes ressemblantes, ce qui l'exaspérait. Si seulement elle y était parvenue, la magie aurait recommencé. Elle en était certaine.

Au début, lorsque c'était arrivé, elle avait cru que son imagination lui jouait un tour.

Peut-être était-ce un mirage dû à un rayon de soleil, ou à l'ombre mouvante de la vieille vigne qui avait profité d'un carreau cassé pour sortir coloniser le toit : ses branches remuaient sans cesse, tremblaient, reflétaient la lumière. L'autoportrait au fusain de Lily – l'esquisse d'une fille aux cheveux frisés et emmêlés, avec un tout petit nez – avait souri, et tourné un peu la tête, comme si elle avait été sur le point de dire quelque chose.

Lily s'était figée, les yeux exorbités et le cœur tambourinant. Était-ce arrivé pour de vrai ? Pendant quelques secondes, les lignes noires étaient devenues floues, avaient épaissi, et avaient bougé sur le carrelage en terre cuite, soudain vivantes.

Juste après, Lily avait observé le dessin pendant des heures, assise en tailleur sur le sol froid, jusqu'à ce qu'il fasse si sombre que les lignes de charbon se fondent dans l'obscurité. Il ne s'était plus rien passé d'extraordinaire, donc elle avait peut-être bien été victime de son imagination. Mais tout lui avait paru si réel ! L'espace d'un instant, il y avait eu quelque chose avec elle dans cette pièce froide et abandonnée. *Quelqu'un.*

Depuis lors, Lily attendait que le phénomène se reproduise, mi-excitée, mi-terrifiée. Cet épisode signifiait-il qu'elle commençait enfin à avoir des pouvoirs, elle aussi ? En fin de compte, elle avait désormais dix ans, l'âge auquel ils apparaissaient souvent. Malgré la famille dont elle était issue, sa connaissance de la magie était plus que sommaire. Elle avait appris des fragments de sortilèges, des rudiments de théorie, mais elle n'avait accès qu'à de rares manuels désuets, dans lesquels, par-dessus le marché, elle sautait les passages ennuyeux.

Son préféré était un vieil exemplaire du *Premier grimoire du parfait apprenti*, de Prendergast. Le nom de son père, Peyton Powers, était tracé d'une écriture enfantine sur la page de garde. Elle l'avait retrouvé à l'envers au milieu d'une rangée de livres dans une des chambres les plus poussiéreuses de Merrythought, et elle le conservait précieusement. Souvent, elle passait le doigt sur le nom de son ancien propriétaire en se demandant où il était.

Lily n'avait aucun souvenir de son père. Il avait été arrêté alors qu'elle n'avait que quelques mois pour avoir protesté contre le Décret de la reine qui interdisait toute magie et faisait de tous les magiciens des hors-la-loi. Lily s'était souvent demandé comment on pouvait garder en prison quelqu'un capable, en principe, de faire exploser ses chaînes et fondre les murs, mais visiblement, les Hommes de la reine (toujours dotés de lettres majuscules, comme le Décret) y étaient parvenus, car son père était enfermé quelque part dans le pays. Elle ne pouvait qu'espérer qu'on ne l'avait pas fait souffrir pour l'empêcher d'utiliser ses pouvoirs.

Un jour, elle le retrouverait, même si elle ne savait pas exactement comment elle s'y prendrait. Sa mère ne quittait jamais Merrythought, mais après tout, Lily n'était pas pour autant condamnée à y rester éternellement ! Un jour, elle partirait de l'île. Peut-être même qu'elle rencontrerait d'autres magiciens, par exemple les Fell, ou les Wetherby, ou les Endicott ; peut-être que quelqu'un lui donnerait des leçons, et qu'elle pourrait inventer des sortilèges merveilleux. Elle apprendrait à voler, à parler aux oiseaux, à lisser ses horribles cheveux frisés...

Mais non. La magie n'existait plus, à présent, ou seulement cachée dans des lieux tels que Merrythought, où les anciennes familles de magiciens prétendaient y avoir renoncé tout en donnant en cachette des leçons à leurs enfants... ou pas. Si Lily quittait Merrythought pour n'importe quel autre lieu en Angleterre, elle ne verrait jamais aucune magie. En tout cas, elle ne serait jamais autorisée à pratiquer le moindre sortilège, sous peine d'être jetée en prison.

Quoi qu'il en soit, selon Mr Prendergast, un magicien de dix ans doté d'un minimum de talent aurait déjà dû être capable de discuter avec des animaux enchantés et d'effectuer des petits tours simples, comme faire apparaître son nom dans l'air en lettres lumineuses. Or, Lily n'y arrivait pas.

Bien sûr, Georgiana avait dû savoir faire ce genre de choses dès le berceau. À présent qu'elle avait douze ans, elle était passée à des exercices bien plus difficiles, ce qui expliquait pourquoi Lily ne la voyait plus jamais. Or, comme si avoir une sœur exceptionnelle ne suffisait pas, Lily ne pouvait s'empêcher de l'aimer. Même à l'époque où elle était encore petite, Georgie était sans cesse convoquée par Maman pour apprendre des formules, ou réviser l'histoire de la magie (ce qui consistait, en gros, à mémoriser les nombreux exploits réalisés par la famille Powers avant que le Décret ne fasse de la magie un crime). Mais Georgie finissait toujours par revenir. En général, Lily attendait sa sœur dans la cuisine, où elle errait comme une âme en peine et importunait Martha et les autres domestiques. C'était dans la cuisine qu'elle avait appris à lire, sur le vieux recueil de recettes couvert de taches mais précieux de Mrs Porter. Si la vieille cuisinière était de bonne humeur – ce qui n'arrivait que quand le four fonctionnait correctement : elle était toujours maussade quand le vent soufflait de l'est, car il pénétrait alors dans la cheminée et éteignait les flammes –, elle laissait même Martha découper des lettres pour Lily dans la pâte à biscuits.

Elle n'avait appris à écrire que par la suite, quand Peter était arrivé. Il était à peine plus âgé qu'elle, et c'était le seul autre enfant sur l'île en dehors de Georgiana ; naturellement, Lily avait eu très envie de bavarder avec lui. Mais cela s'était avéré impossible.

Il était apparu sur la plage, recroquevillé contre un rocher, transi et malheureux. Martha l'avait trouvé en allant prendre la livraison de l'épicier sur la jetée. Le bateau aux provisions passait toujours très tôt, avant que quiconque soit réveillé dans la maison. La famille Powers payait trop bien pour qu'on refuse sa clientèle, mais elle avait mauvaise réputation. Tout le monde connaissait la vérité à leur sujet, bien que personne n'ose en parler à voix haute. Qui sait ce qu'ils auraient pu faire pour se venger ? Surtout elle, cette fille blanche et fantomatique que la mère élevait. On l'avait souvent vue debout en haut de la falaise, les yeux tournés vers la mer... ou vers la terre, selon les pêcheurs. N'allait-elle pas un jour plonger pour traverser, comme une de ces sirènes dont les vagues rejetaient occasionnellement le corps sur le littoral ?

Martha aimait encore raconter cette histoire. Elle commençait toujours par préciser qu'elle marchait tranquillement, songeant à ses affaires – ce que Lily avait tout de suite interprété comme cherchant Sam, le second valet de pied : Martha avait l'intention de s'élever dans la société, et menait Sam par le bout du nez. Elle se hâtait vers les paniers qui l'attendaient sur l'embarcadère et regardait à peine la plage quand, du coin de l'œil, elle avait cru voir bouger un rocher. Elle l'avait tout d'abord pris pour un phoque, jusqu'au moment où le garçon s'était levé ; elle s'était alors figée, trop choquée pour crier. (Lily avait vu Peter lever les yeux au ciel à ce stade du récit, et elle soupçonnait Martha d'avoir crié, en fait, et même hurlé, comme la fois où une souris avait trotté sur sa main dans la boîte à farine.)

Elle l'avait ramené au manoir, bien sûr. Qu'aurait-elle pu faire d'autre ? Merrythought était la seule maison de l'île, et tous ses habitants étaient soit nés ici, soit envoyés par une agence de placement appréciée pour sa discrétion. Martha et les autres domestiques avaient dû signer des contrats à long terme avant même de mettre le pied sur un bateau. Ils avaient dû promettre de ne pas partir, et accepter que leur courrier soit lu. En compensation, leurs gages étaient assez élevés.

L'un des deux paniers avait donc été rapporté à la cuisine par Martha, et l'autre par un petit garçon silencieux.

Lily était en train de glaner un petit déjeuner quand Martha était arrivée avec le nouveau venu. Elle l'avait examiné avec ébahissement : elle n'avait jamais vu de garçon de son âge, et même jamais vu d'enfant tout court en dehors de sa sœur.

Mrs Porter avait eu l'air de vouloir jeter la pâte qu'elle était en train de pétrir à la tête de Martha.

— Qu'est-ce que c'est que ça ? Je t'ai envoyée chercher du riz et des faisans ! Je suis censée faire rôtir ce sac d'os, peut-être ?

Martha avait posé le panier par terre avant de répondre. Elle ne se laissait jamais intimider par Mrs Porter.

— Qu'aurais-je dû faire de lui ? Le laisser sur la plage, pour qu'il se fasse dévorer par les phoques ? Je les ai rapportées, les provisions ; il en porte même la moitié !

Mr Francis, le majordome, buvait son thé et était assis à table, son gilet déboutonné.

— D'où sort-il ? Au fait, avons-nous reçu les journaux ? avait-il ajouté en jetant un coup d'œil au panier que portait le garçon. *Elle* va sonner d'une minute à l'autre pour qu'on les lui apporte.

Il avait fait signe au garçon de s'approcher, et celui-ci avait obéi, le panier toujours dans les bras. Il était passé juste à côté de Lily, qui ne le quittait pas des yeux. Il était plus petit qu'elle, ou du moins plus maigre, à tel point que ses pommettes projetaient des ombres sur ses joues creuses. Il avait des cheveux noirs, en épis, et des yeux gris clair qui changeaient de couleur, comme la mer qui l'avait amené.

— D'où arrives-tu, mon garçon ? l'avait interrogé Mr Francis. Tu peux lâcher le panier, maintenant.

L'enfant n'avait rien dit, et n'avait pas lâché le panier. Il était resté debout, immobile et silencieux.

— Il ne parle pas, Mr Francis, était intervenue Martha. J'ai essayé. Je ne crois pas non plus qu'il nous entende.

Le majordome avait tapoté la table, pour signifier au garçon qu'il devait y poser le panier. Le nouveau venu avait obéi et s'était frictionné les bras : il avait froid.

— Bon. Visiblement, ce n'est pas un idiot, même s'il ne peut pas parler. Il va falloir le garder, j'imagine. Il n'est pas arrivé à la nage : ses vêtements ne sont pas mouillés, ni tachés par le sel, donc il n'est pas tombé d'une barque de pêcheurs. Le pauvre diable a volontairement été abandonné sur l'île. Il faut croire que sa famille ne voulait pas d'un sourd-muet.

— Qu'allons-nous faire de lui ? avait demandé Mrs Porter, bras croisés. Je ne veux pas d'un autre mioche encombrant ma cuisine !

Lily avait jeté un regard de reproche à la cuisinière, mais elle avait rangé ses pieds sous la table, pour se faire plus petite.

— Celui-ci, vous pouvez le faire travailler. Laver le sol, installer des pièges à souris, ce que vous voulez. Personne ne viendra se plaindre, pas vrai ? Personne ne veut de lui.

Lily avait tiqué, avant de réaliser que le garçon avait au moins la chance de ne pas entendre ce qu'on disait à son sujet.

Mrs Porter avait soupiré bruyamment.

— Miss Lily, où est cette ardoise que Violette vous a dégotée dans la chambre d'enfants ? Voyons un peu si le gosse sait lire.

Lily était allée chercher l'ardoise à côté du vaisselier. Violette, une des femmes de chambre, trouvait choquant que Lily ne sache pas écrire. À son âge, répétait-elle, le gamin le plus réfractaire du village le plus reculé aurait été traîné à l'école par les inspecteurs chargés de faire respecter le principe de l'instruction obligatoire. Elle s'efforçait donc de faire travailler Lily pendant ses rares moments de liberté, mais Lily ne progressait pas très vite, d'autant plus qu'elle avait pris l'habitude de se glisser hors de la cuisine quand elle entendait Violette descendre l'escalier.

Mrs Porter lui avait arraché en hâte l'ardoise des mains – elle n'avait pas encore terminé son pétrissage – et avait gribouillé « ton nom ? » dessus avant de la montrer au garçon.

Il avait alors sorti de sa poche un bout de papier tout froissé. Un seul mot était inscrit dessus : *Peter.*

Mrs Porter avait hoché la tête et poussé dans sa direction le pain que Martha était en train de couper.

— Il vaut mieux qu'il mange quelque chose avant de se mettre à l'ouvrage, avait-elle marmonné, ressentant le besoin de justifier sa générosité. Sans ça, si je lui demande de m'apporter le bois pour le feu, il va tomber dans les pommes.

Après cet épisode, Lily avait été beaucoup plus motivée pour apprendre à écrire. Elle était loin de pouvoir imiter la belle ronde de Violette, mais se débrouillait assez bien pour pouvoir griffonner des messages à l'attention de Peter lui proposant d'aller escalader les arbres du verger, ou de faire des ricochets sur la plage. Il avait rarement le temps de jouer avec elle, car tous les domestiques se déchargeaient sur lui de certaines de leurs corvées, et il ne pouvait pas protester. Souvent, le seul moyen pour Lily de « l'emprunter » afin de s'amuser avec lui consistait à faire son travail à sa place – du moment que personne ne les regardait, bien sûr. Elle savait désormais couper du bois, désherber un potager, ou polir l'argenterie. Peter était capable de lire sur les lèvres, quand il se concentrait et quand on le regardait bien en face, mais le meilleur moyen de communiquer avec lui restait par écrit.

Lily soupira, et fixa la tache de charbon sur le sol de l'orangerie, ainsi que le noir sur ses doigts. Ses dessins ne valaient pas beaucoup mieux que son écriture, aujourd'hui. Elle trempa un lambeau de tissu dans une flaque d'eau s'infiltrant à travers les vitres fendues, et frotta les dalles pour les laver. Puis elle demeura immobile, les yeux fixés sur la surface humide, préparant sa prochaine tentative. Les grenouilles étaient décidément impossibles à reproduire : elles ne restaient jamais en place assez longtemps pour qu'on puisse les observer correctement. D'ailleurs, si le dessin s'animait, ainsi que son autoportrait l'avait fait, voulait-elle réellement d'un autre batracien ? Il y en avait déjà bien assez dans l'orangerie. Il lui faudrait donc dessiner quelque chose de mémoire. Elle envisagea de se lancer à nouveau dans un autoportrait, mais tout bien réfléchi, elle ne désirait pas non plus se retrouver face à une seconde version d'elle-même. Elle aurait préféré pouvoir parler à quelqu'un d'autre.

Lily sourit, car une image s'était formée dans son esprit. Un tableau, plus précisément : celui qui était accroché dans le couloir entre le salon et la bibliothèque. La fille qu'il représentait lui avait toujours plu – quelque chose, dans la manière dont ses cheveux étaient soigneusement tirés en arrière et attachés avec des rubans, lui faisait soupçonner qu'ils étaient habituellement aussi frisés que les siens. Et le petit chien noir sur les genoux de sa maîtresse, un jeune carlin, semblait vraiment sur le point de sauter de ses bras et de s'enfuir avec les pinceaux.

Les yeux mi-clos, Lily se mit à dessiner le visage de la fillette. Elle aurait aimé connaître son nom. C'était probablement quelqu'un de sa famille – cela aurait expliqué pourquoi elles avaient les mêmes cheveux indomptables. Mais le portrait était ancien. Face aux yeux vifs et amusés qu'elle venait de tracer, Lily frissonna. Et si elle réussissait, mais qu'au lieu d'une enfant apparaisse une très vieille dame ?

Lily demeura un instant immobile avec son fusain, puis se remit à dessiner le petit chien. De toute façon, ça ne marcherait pas, donc pourquoi s'inquiéter ?

Le carlin lui posa des difficultés, avec sa peau toute plissée. On aurait presque dit un vieillard, si on faisait abstraction de ses yeux proéminents et pétillants. Lily dessina, effaça, dessina encore, s'efforçant de reproduire le petit visage canin. Elle le laissa tomber pendant un moment, et se concentra sur la robe de soie rose de la fillette. Une robe superbe, avec des dentelles. Sans doute en avait-elle une comme celle-ci pour chaque jour de la semaine, pensa Lily ; dans le cas contraire, elle n'aurait jamais pris le chien sur ses genoux alors qu'elle était si bien vêtue. Les petites pattes avaient froissé la soie, juste là, et les griffes risquaient de déchirer le tissu, si la fillette ne faisait pas attention.

Mais le visage du chien restait raté, même quand Lily essaya d'attaquer par les pattes, et de changer l'angle de vue. Il aurait dû être plus rond, et plus souriant. Pourquoi n'y arrivait-elle pas ?

De dépit, elle jeta son fusain au loin et s'adossa au mur, s'essuyant les yeux sur sa manche. À quoi cela servait-il de pleurnicher ? Ce n'était qu'une esquisse griffonnée, et ce ne serait jamais rien d'autre.

Une souris trottina sur les dalles, et Lily agita bruyamment sa robe pour l'effrayer. Sa main se posa sur le charbon, et elle hésita. Devait-elle s'obstiner, faire un nouvel essai, ou tout effacer ?

Brusquement, elle se redressa. Comment était-il possible que le charbon soit à nouveau dans sa main ? Avait-il rebondi contre un mur et roulé jusqu'à elle ? Elle remarqua alors les empreintes de pattes sur le dessin, et ses doigts se crispèrent. Le fusain se brisa dans sa main.

Le chien poliment assis près d'elle lui adressa un regard de reproche. Son expression disait clairement : *À quoi bon m'être donné la peine d'aller le chercher, si c'était pour que tu le casses ?*

2

— Ça a marché, murmura Lily. Ça a vraiment marché.

Le petit chien noir lui rendit son regard, avec un air solennel.

— Tu existes pour de bon ?

Elle tendit la main, avec lenteur. Le chien la regarda avancer ses doigts tremblants, puis bondit en avant. Lily sursauta, et rit nerveusement quand elle se rendit compte que l'animal voulait juste lui lécher la main. Sa langue était d'une étrange couleur violette, exactement de la même nuance que sur le portrait. Lily l'avait toujours trouvée bizarre.

— Je me demande si ta langue était réellement comme ça... Ou bien t'ai-je créé juste tel que tu étais sur le tableau ? (Elle fronça les sourcils, méditant sur cette question importante.) Tu es un chiot, non ? Tu me sembles trop petit pour un chien adulte. Est-ce que ça veut dire que tu resteras toujours jeune ?

L'animal pencha pensivement la tête sur le côté, puis la secoua. Il n'aurait pas pu dire « aucune idée » de façon plus explicite.

Il se leva ensuite pour trotter jusqu'à la serviette et la renifler avec espoir, avant de prendre un air aussi déçu que Lily quelques heures plus tôt.

— Il y a plein de souris, suggéra Lily. Ça ne te tente pas, une belle grosse souris ?

Le chien fit une grimace dégoûtée. Il comprenait ce qu'elle disait : cela ne faisait aucun doute. En fin de compte, ce n'était pas spécialement étonnant. Guère plus que de le voir sorti d'un tableau, en tout cas.

— Je vois. Moi non plus, ça ne me tenterait pas. Je crois qu'il me reste quelques biscuits au fond d'une boîte, dans ma chambre.

Le chiot courut jusqu'à la porte de l'orangerie, qui donnait sur l'un des nombreux et tortueux couloirs de Merrythought. Il se mit ensuite à courir en cercle en attendant que Lily le suive.

— Oui, oui, j'arrive ! Mais il va falloir que tu te caches, d'accord ? (Elle s'accroupit près du chiot qui sautillait avec impatience.) Chut ! Écoute-moi. Si on te découvre, on ne me laissera pas te garder, j'en suis certaine. Ou peut-être est-ce moi qui n'ai pas envie de révéler ta présence. Quoi qu'il en soit, il faut que ça reste un secret. Tu comprends ? Ne fais pas de bruit !

Le chien hocha gravement la tête, et Lily éclata de rire. C'était si drôle ! Puis elle remarqua que les grands yeux noirs semblaient offensés, et elle toussota, embarrassée.

— Je suis désolée. Je n'aurais pas dû rire. C'est juste que... ça me fait tellement bizarre de bavarder avec un chien ! Et même de bavarder tout court, d'ailleurs : la plupart du temps, je n'ai pas l'occasion de parler à qui que ce soit. Et puis c'est la première fois que je fais de la magie. Ce n'est même pas vraiment moi qui l'ai faite, cela dit. C'est venu tout seul ; je n'y suis pour rien.

Elle baissa la tête, jusqu'à être nez à nez avec le chiot dont le pelage luisait dans le soleil couchant.

— À moins que ce ne soit grâce à toi ?

Le chien la regarda une seconde, puis aboya. Un seul aboiement, impérieux, mais rapide, comme s'il s'était rappelé que Lily ne voulait pas qu'on l'entende.

— Tu as faim, c'est ça ? demanda Lily en se levant, tandis que le petit chien gambadait autour de ses pieds, tout joyeux. D'accord. Reste près de moi. Et si nécessaire, cache-toi.

Il y eut comme un éclair noir : le chien avait traversé l'orangerie à toute vitesse pour aller chercher la serviette, et était revenu en la tirant derrière lui comme un drapeau.

— Oh ! Bonne idée.

Lily se pencha pour la ramasser, et frémit quand le chien bondit contre elle et lui lécha affectueusement la joue. Il s'assit dans ses bras, aussi majestueux qu'un roi sur son cheval – une attitude que Lily reconnut : il avait la même dans le tableau. Elle le recouvrit délicatement avec la serviette.

— Si quelqu'un arrive, baisse-toi, murmura-t-elle en sortant.

Mais ils ne rencontrèrent personne dans la maison. L'après-midi touchait à sa fin. Maman se reposait sans doute, et les domestiques devaient en profiter pour faire une pause dans la cuisine.

Lily s'arrêta dans le couloir entre le salon et la bibliothèque, surveillant nerveusement la porte de cette dernière pièce. Elle était presque sûre que Maman était dans sa chambre, mais on ne savait jamais... Aucun bruit ne s'élevait de l'autre côté. Respirant un peu plus librement, elle avança jusqu'au tableau dans son cadre doré, et l'examina avec curiosité. Dans ses bras, le chien en fit autant.

La fille était encore là, mais sans son animal de compagnie. À la place de ce dernier, elle tenait à la main une fleur, qu'elle serrait avec rage, comme si elle avait voulu tordre la tige entre ses doigts. Son beau sourire de jadis ressemblait désormais plutôt à une grimace. Sur sa robe de soie rose, on pouvait distinguer une petite tache noire : l'empreinte d'une patte boueuse.

— Je ne voulais pas te kidnapper, chuchota Lily au chien pour se disculper. Elle a l'air furieuse !

Le chien s'avança un peu, plaça une patte sur le cadre doré, et renifla la toile. Il s'enhardit jusqu'à la lécher du bout de la langue, la tête penchée sur le côté, dans son étrange pose coutumière. Puis il se blottit à nouveau dans les bras de Lily, de manière à bien faire comprendre qu'il préférait largement être là où il était à présent.

Lily rit tout bas en sentant le petit corps se serrer contre elle. Les muscles bougeaient sous le pelage lisse. Le chien n'avait pas l'air d'un mirage, ni d'un fantôme, ni d'un produit de son imagination. Sa chaleur et sa solidité contre sa poitrine étaient réelles, réconfortantes.

Il y eut un léger frottement de l'autre côté de la porte de la bibliothèque. Lily sursauta, et tourna les talons pour se précipiter vers l'étage supérieur. Personne n'apparut derrière elle.

Elle grimpa l'escalier tout en guettant le hall dans son dos et en se demandant si sa mère allait découvrir ce qu'elle avait fait. Les autres membres de la maisonnée remarqueraient forcément que le tableau avait changé, non ? Aussi, quand elle croisa quelqu'un sur les marches, elle poussa un cri de surprise et recula précipitamment jusqu'au mur. Le chien eut la présence d'esprit de se cacher sous la serviette, mais il laissa sa truffe noire dépasser pour renifler avec curiosité la nouvelle venue. Heureusement, celle-ci ne sembla pas s'en apercevoir. Elle jeta à peine un coup d'œil à Lily et continua à descendre.

Furieuse, Lily lui tira la langue et émit un petit grognement de colère qui fit dresser les oreilles du chiot. Georgiana aurait au moins pu lui dire bonjour ! Était-elle devenue trop présomptueuse pour parler à sa petite sœur ?

En l'entendant, Georgiana se retourna. Lily ne pouvait pas très bien la voir dans la pénombre de l'escalier, mais elle fit un pas en arrière, stupéfaite. Georgie avait l'air d'un fantôme. Ses cheveux d'un blond presque blanc ressemblaient à de la paille, et sa peau déjà pâle d'ordinaire avait pris une nuance grise, malsaine, qui faisait ressortir les cercles rouges autour de ses yeux.

— Tu pleures ? s'étonna Lily, déjà repentante.

Quelles raisons Georgie pouvait-elle avoir de pleurer ? Avec un hoquet, sa sœur remonta l'escalier deux à deux. Elle passa devant Lily, la frôlant de sa robe. Lily l'entendit courir dans le couloir, ouvrir la porte de sa chambre, et la claquer derrière elle.

— Qu'est-ce qui lui prend ?

Lily était un peu agacée. Cela faisait des semaines qu'elle n'avait pas vu Georgie. Et voilà qu'elle ne pouvait même pas s'énerver d'avoir été ignorée, et qu'il lui fallait s'inquiéter pour elle !

— Je ne sais pas. C'était qui ? demanda une voix à moitié étouffée sous la serviette. Son odeur me plaît, en tout cas.

Le carlin émergea du tissu. Les yeux de Lily s'agrandirent, devenant presque aussi ronds que ceux du chiot. Celui-ci souffla, irrité.

— Quoi ? Je sais bien que je suis ridicule, sous ce bout de tissu. C'est toi qui m'as demandé de me cacher ; j'ai fait de mon mieux ! Je ne crois pas que cette fille ait remarqué ma présence ; de toute façon, elle n'était pas vraiment en état de remarquer quoi que ce soit, pas vrai ?

Lily fit un signe négatif, toujours muette d'étonnement. Le chiot pencha encore une fois la tête sur le côté.

— Oh, je vois. Tu ne t'attendais pas à ce que je parle ?

— Non... non. Pour être honnête, je ne m'attendais pas à toi, tout simplement !

— Mais c'est toi qui m'as fait venir ! Je t'en remercie, d'ailleurs. Je ne me souviens pas comment c'était, coincée dans ce tableau, mais ce n'était sûrement pas très gai. J'espère que tu ne veux pas me renvoyer là-dedans ?

— Oh, non, non ! protesta Lily en resserrant inconsciemment son étreinte. Ne pars pas, je t'en prie. Je voulais que quelqu'un vienne, même si j'avoue que je pensais plutôt à ta maîtresse, la fille dans la robe rose. Elle avait l'air sympathique, et j'avais tant envie de parler à quelqu'un. Mais franchement, je suis surprise que quelqu'un soit réellement arrivé. Je ne pensais pas que ça marcherait. D'où viens-tu, exactement ? Comment ai-je fait pour te faire apparaître ici ?

Le chien haussa les épaules.

— À toi de me le dire. Je n'ai pas pu m'en empêcher. C'était un peu comme courir derrière une balle. Ah, au fait, pour la parole, ça vient d'arriver. Je ne crois pas que j'aurais pu le faire, avant. C'est ta faute, tu sais. Tu voulais quelqu'un avec qui discuter.

— Mais... qu'es-tu, au juste ?

L'animal la dévisagea, sidéré.

— Je suis un *chien* ! Une chienne, plus exactement.

— Ah. D'accord, mais...

— Il va falloir que tu t'en contentes. C'est tout ce que je peux te dire. Bon, et ces biscuits ? Et pendant que nous y allons, dis-moi un peu, qui est cette fille, celle qui a l'air d'une petite souris malheureuse ?

Lily recommença à monter l'escalier en trébuchant, trop concentrée sur sa nouvelle amie pour regarder où elle mettait les pieds.

— C'est ma sœur. Georgiana. Je ne la vois pas souvent.

— Pourquoi donc ? Arabel – ma maîtresse, celle avec la robe rose – avait trois sœurs, et c'était difficile de se débarrasser d'elles.

— Arabel ? Georgie m'en a parlé. C'était une de nos grands-tantes. Elle était capable de changer le temps qu'il faisait, et ne portait jamais de manteau. Les sortilèges météorologiques sont une spécialité des Powers. Nous sommes censés être doués dans ce domaine.

— Ça a dû venir plus tard. À l'époque où je l'ai connue, les sortilèges d'Arabel tournaient toujours mal. Alors, pourquoi ne vois-tu pas souvent ta sœur ?

— Elle est trop occupée. Elle est en apprentissage, tu comprends. Elle est censée rétablir un jour la fortune de notre famille, de manière à ce que tout redevienne comme avant.

— Avant quoi ?

Lily s'arrêta en haut des marches.

— Oh ! c'est vrai, tu ne peux pas savoir. Avant le Décret. La magie... la magie est désormais illégale.

La chienne pouffa dédaigneusement.

— Et qui a décidé ça ?

— La reine Sophia, quand un magicien nommé Marius Grange a tué son père, le roi Albert. C'était il y a trente ans.

— Vraiment ? Hum... Je comprends mieux. Totalement interdite ?

Lily hocha la tête.

— Totalement. Pour toujours. Voilà pourquoi Maman donne des leçons à Georgie en secret, et pourquoi Papa est en prison. Et aussi pourquoi nous ne quittons jamais cette île.

— Vous ne vous rendez même pas dans votre demeure londonienne ?

— Elle ne nous appartient plus. Nous avons perdu beaucoup d'argent après le Décret, et la maison de Londres nous a été confisquée. Volée, d'après Georgie. Ensuite, Papa a demandé une audience à la reine, pour la convaincre que tous les magiciens n'étaient pas fous, mais ça s'est mal passé, je ne sais pas exactement pourquoi, et on l'a jeté en prison. Nous avons encore un peu d'argent qui nous vient de la famille de Maman, mais pas autant qu'avant. Maman se plaint que nous sommes des mendiants, mais Martha – une de nos femmes de chambre – dit que c'est ridicule, et que Maman n'a aucune idée de ce que ça signifie.

Lily fit une pause, puis demanda, hésitante, car elle avait presque l'impression qu'elle aurait dû connaître la réponse :

— As-tu un nom ? Je ne peux pas t'appeler « Chienne ».

L'animal baissa le museau.

— Henrietta. C'est Arabel qui l'a choisi.

Elle releva les yeux ; pour la première fois, elle semblait intimidée. Lily sourit. C'était un nom original, un peu pompeux, mais qui convenait parfaitement à l'étrange petite créature.

— C'est très joli. Crois-tu que je devrais parler à Georgie ? ajouta-t-elle en soupirant.

Henrietta hocha la tête avec vigueur.

— Oui. Je veux savoir pourquoi elle a l'air aussi malheureuse. J'aime être au courant, et c'est très désagréable d'être aussi ignorante après avoir passé des années enfermée dans un tableau. Tout a changé. Pas forcément en mieux, d'ailleurs, précisa-t-elle avec un coup d'œil de biais au papier peint à moitié décollé. Je veux comprendre ce qui s'est passé.

— Tu ne voyais rien, quand tu étais dans le tableau ? Tu n'étais pas... vivante ?

Henrietta fronça les sourcils, et ses rides se creusèrent encore davantage, à tel point qu'on aurait pu y cacher des billes.

— Seulement de temps en temps. Je pense que ça n'arrivait que quand un puissant magicien était dans les parages et nous voyait pour de bon, nous regardait vraiment. Alors, je pouvais aussi y voir. (Elle toucha la joue de Lily de sa truffe étonnamment froide.) Je t'ai vue, toi.

Lily rougit.

— J'aimais bien vous regarder, Arabel et toi. J'ai toujours souhaité que vous sortiez du tableau. Mais je ne suis pas une puissante magicienne : c'est Georgie qui a beaucoup de pouvoir.

Henrietta haussa les épaules.

— Tu en as suffisamment. C'est ici, sa chambre ?

— Oui.

Lily frappa à la porte. À l'intérieur, il y eut un silence profond, presque attentif, mais rien d'autre. Elle essaya de tourner la poignée, mais la porte semblait fermée à clef – ce qui ne pouvait pas être le cas, car la clef avait été égarée il y a des années. Mais Georgie n'en avait probablement pas besoin pour s'enfermer. Lily caressa pensivement le bois en se demandant quel sortilège sa sœur avait utilisé. Une heure plus tôt, elle serait partie à grands pas furieux, tenue à l'écart par la magie. Mais désormais, Henrietta était là. Elle ignorait ce que son apparition prouvait exactement, mais elle révélait quelque chose. Ressentait-elle un picotement dans les doigts en les passant sur le bord de la porte ? Peut-être.

— Je ne peux pas l'ouvrir, chuchota-t-elle à Henrietta. Mais j'ai une idée.

Lily longea le couloir jusqu'à sa chambre, qui jouxtait celle de Georgie, et se glissa à l'intérieur. Elle avait laissé la fenêtre ouverte ce matin-là, car la clarté du ciel annonçait une chaude journée.

Henrietta regarda autour d'elle avec curiosité quand Lily la déposa sur une chaise près de la fenêtre.

— Jolie chambre. Arabel dormait de l'autre côté de la maison, je crois. Celle-ci donne sur la roseraie, je suppose. Nous sommes au-dessus du petit salon bleu, non ? Par contre, il y a pas mal de poussière...

Elle éternua délicatement, et Lily soupira.

— C'est difficile de trouver des femmes de chambre qui acceptent de venir vivre sur l'île. Elles doivent signer un papier pour s'engager à y rester, tu comprends. La plupart refusent. Elles savent qu'il se passe quelque chose de bizarre ici, et elles ne veulent pas venir travailler pour nous.

— Vos gens sont au courant que vous pratiquez encore la magie, donc ?

— Tout le monde le sait, mais personne n'en parle jamais. Pas après avoir rencontré Maman. Quand les Hommes de la reine viennent interroger les domestiques pour s'assurer que nous respectons le Décret, Maman est toujours debout derrière, les bras croisés, avec cette expression à elle... Jamais ils n'oseraient la dénoncer. Et puis leurs gages sont vraiment élevés, ce qui explique aussi pourquoi nous n'embauchons pas plus de personnel et pourquoi le ménage n'est pas souvent fait dans ma chambre. C'est vrai que c'est poussiéreux, admit-elle après un regard circulaire. Pourtant, j'essaie de nettoyer, des fois.

La petite chienne sauta de sa chaise et suivit Lily jusqu'à la fenêtre.

— Je veux revoir ta sœur. Tu avais une idée, disais-tu ?

— Oh, oui. Regarde dehors : j'ai un balcon, et la chambre de Georgie aussi. Ils ne sont pas très loin l'un de l'autre.

Elle se pencha en avant pour regarder.

— La fenêtre de Georgie aussi est ouverte !

Henrietta plaça les pattes sur le rebord de la fenêtre et jeta un coup d'œil à l'extérieur.

— Ce n'est peut-être pas très loin pour toi, mais moi, je crois que je vais rester là. Les carlins ne sont pas faits pour l'escalade. Je vais monter la garde. Si tu arrives à convaincre ta sœur d'ouvrir sa porte, tu me laisseras entrer.

Ses oreilles se dressèrent soudain, et quand elle recommença à parler, ce fut avec une voix plus basse et non sur son ton haut perché de grande dame.

— J'entends quelqu'un en dessous !

Lily, qui était penchée par-dessus la rambarde ouvragée de son balcon et essayait de regarder dans la chambre de Georgie, se retourna vivement :

— Maman est dans le salon bleu, chuchota-t-elle.

— Il y a aussi une autre personne. Elle parle avec quelqu'un. Chut, écoute !

La petite chienne posa son menton sur sa patte avant, oreilles joyeusement dressées. Les personnes qui occupaient la pièce en dessous s'étaient approchées de la porte-fenêtre ouverte, et on les entendait de mieux en mieux. Lily s'assit sur le balcon, adossée à la rambarde, pour écouter les paroles que lui apportait la brise de cette chaude soirée estivale.

— Fait-elle des progrès, Madame ?

— Ça, c'est Marten, sa suivante, chuchota Lily.

— Non, presque pas. Je nourrissais de tels espoirs...

Il y eut un bruissement de soie qui fit grimacer Lily. Maman avait recommencé à faire les cent pas.

— Elles parlent de ta sœur ? murmura Henrietta.

— Oui, je suppose.

Il y eut un silence en bas, puis, lorsque la mère de Lily passa devant la fenêtre, sa voix s'éleva à nouveau, étonnamment proche.

— Si seulement je pouvais le faire moi-même...

Lily frissonna. Maman avait recommencé à marmonner des demi-sortilèges, et les mots formaient d'étranges couleurs et lumières dans l'esprit de Lily, comme des tourbillons de fumée odorante. Elle se secoua vigoureusement et enfonça le fer dur du balcon dans la paume de sa main jusqu'à ce qu'elle retrouve sa lucidité.

— Mais la prophétie est claire. Il faut que ce soit un enfant. J'étais tellement sûre que ce serait elle ! La voyante que j'ai fait venir après sa naissance m'a juré que c'était bien l'enfant dont on avait prédit la venue. Peut-être a-t-elle menti... Enfin, je suppose qu'on peut toujours l'envoyer rejoindre les autres. Mais que de temps perdu ! Or, je commence à être à court de temps... et d'enfants ! conclut-elle avec un rire amer.

Lily fronça les sourcils.

— Que veut-elle dire ? Oh, la cloche sonne ! Je l'entends qui s'éloigne. Elle va dîner.

— Regarde ! siffla Henrietta en désignant du menton le balcon voisin. Depuis combien de temps est-elle là ?

Lily se retourna et examina le balcon de Georgie. Il était plus grand que le sien, et en essayant de plonger son regard à l'intérieur de la chambre de sa sœur, elle n'avait pas remarqué le petit tas sombre dans un coin. Elle se rendit compte qu'il s'agissait de Georgie elle-même, recroquevillée contre le mur. La lumière orageuse du soir se reflétait sur ses cheveux clairs. Elle avait tout entendu.

— Georgie ! Maman et Marten sont parties. Je veux te parler. Ouvre ta porte, s'il te plaît ! Je suis désolée d'avoir été désagréable.

Mais sa sœur ne bougea même pas. Lily s'énerva :

— Puisque c'est comme ça, je vais passer de l'autre côté et aller la secouer. Je la forcerai à m'écouter !

Elle se leva et passa une jambe au-dessus de la rambarde.

— Attention ! l'avertit Henrietta, oreilles couchées. La maison entière tombe en ruine, ça me semble une très mauvaise idée... Où vas-tu mettre ce pied, maintenant ? Non, c'est trop loin ! Lily, non !

Mais Lily avait déjà sauté, se propulsant vers l'autre balcon, de la même manière qu'elle bondissait d'un pommier à l'autre dans le verger. Sauf que là-bas, elle risquait de tomber sur de l'herbe et une couche molle formée par des années d'accumulation de pommes pourries, pas sur une terrasse en pierre.

Un coude enroulé autour de la rambarde, Lily essaya de se hisser, mais elle sentait déjà qu'elle glissait.

— Georgie, aide-moi ! souffla-t-elle.

Cependant, sa sœur semblait très loin de là, le regard dans le vide, les yeux à moitié cachés derrière un voile de cheveux blonds. Henrietta courait frénétiquement en rond sur le balcon, en gémissant d'horreur. Soudain, elle lança un aboiement sec et furieux qui sembla agripper la nuque de Lily, comme des ongles raclant de la peinture. Celle-ci frissonna horriblement et réussit à passer le deuxième bras de l'autre côté de la barrière.

Georgie remua alors pour la première fois et écarta les cheveux de son visage, comme si elle s'éveillait d'un cauchemar.

— Lily !

3

— Qu'est-ce que tu fais, idiote ? cria Georgie
en tirant sa sœur sur le balcon.

Lily s'assit sur le sol de pierre, haletante ; elle
frotta ses bras endoloris et gloussa.

— Ça n'a rien de drôle ! se fâcha Georgie en
la secouant un peu. À quoi pensais-tu ? Si tu
étais tombée sur la terrasse, tu aurais pu te tuer !

— Je sais. Mais c'est la première fois que tu
te comportes comme ma grande sœur depuis
des mois. Peut-être que je devrais faire des
bêtises plus souvent. Et puis si j'étais tombée,
tu aurais utilisé un enchantement pour me rattraper, non ?

Sa sœur s'assit près d'elle et embrassa ses
genoux.

— Je ne sais pas, Lily. J'aurais essayé. Bien
sûr que j'aurais essayé. Mais je n'arrive plus à
rien faire.

— Mais... la prophétie...

— Une erreur. Ou alors, la voyante avait trop peur de Maman pour la décevoir. Maman craint qu'un autre enfant ne prenne ma place. Il reste quelques familles de magiciens, après tout. Les Endicott ont une fille de mon âge, paraît-il...

— Ah... C'est pour ça que Maman est tout le temps en colère ? Mais Georgie, dis-moi... Qu'attend-on de toi, exactement ?

Henrietta pointa le museau à travers les barreaux du balcon voisin.

— J'aimerais bien le savoir, moi aussi, s'il vous plaît !

Georgie bondit sur ses pieds et faillit renverser Lily au passage. Agrippant sa sœur par le poignet, elle la tira en arrière, et tendit l'autre bras devant elle.

— Qui est là ?

— Du calme, Georgie ! Regarde, ce n'est qu'Henrietta. Ma nouvelle chienne, ajouta-t-elle avec un sourire fier. Je l'ai fait sortir du tableau qui représente une fille dans sa robe de soie rose, à côté de la bibliothèque. Savais-tu que c'était notre grand-tante Arabel ?

Elle leva les yeux, et remarqua alors l'expression horrifiée de Georgie. Celle-ci avait encore pâli.

— Qu'y a-t-il ? C'est le fait que je l'ai volée qui t'ennuie ? Je dois avouer qu'Arabel n'a pas l'air contente, mais à moins qu'on ne la fasse sortir du tableau à son tour, elle ne peut pas y faire grand-chose, pas vrai ? Ne t'en fais pas, Georgie.

Mais sa sœur continuait à la fixer de ses yeux d'un violet sombre, comme un hématome.

— Tu as fait sortir le chien du tableau ? Tes pouvoirs... Tu commences à avoir des pouvoirs ! s'exclama-t-elle avec une grimace étrange.

Lily hocha la tête.

— Tu es fâchée ? demanda-t-elle d'une petite voix. Je ne le dirai pas à Maman, si ça te déplaît. Je suis sûre que tes propres pouvoirs vont revenir. Peut-être... peut-être que c'est juste une phase...

— Oh, Lily...

Soudain, Georgie se mit à rire :

— Ce chien va faire une crise de nerfs si on le laisse là-bas plus longtemps !

— Et si j'avance encore un peu ma tête à travers ces barreaux, gémit Henrietta, je ne pourrai plus la ressortir ! Vous êtes très vilaines de parler ainsi à voix basse, et si loin de moi. Revenez ici !

Elle dégagea sa tête de la barrière avec un « pop » presque audible.

— Viens dans ma chambre, Georgie ! supplia Lily. Nous nous installerons sur mon lit. Ça fait si longtemps que nous ne l'avons pas fait... S'il te plaît !

Georgie acquiesça, alla à l'intérieur, et tendit la main à sa sœur pour l'inviter à la suivre.

Lily traversa la chambre en l'examinant avec curiosité. La pièce avait bien changé, au cours de cette année où elle n'avait plus eu le droit de venir y jouer avec sa sœur. Les beaux meubles avaient été repoussés contre les murs pour laisser la place à des tours instables de livres et de papiers. Ici et là étaient éparpillés des récipients de toutes sortes contenant des restes d'ingrédients divers, preuve que Georgie avait tenté de s'exercer entre deux leçons. Cette dernière ne semblait même pas remarquer le désordre, et zigzaguait entre les piles de livres. Lily retint son souffle en voyant un fil écarlate enroulé autour de la poignée en porcelaine, mais Georgie l'ôta avec facilité, et la porte s'ouvrit aussitôt.

— Tu vois bien que tu peux encore faire des choses !

Georgie haussa les épaules.

— C'est un petit tour simple comme bonjour. N'importe qui peut en faire autant ; il suffit de connaître la formule. Toi aussi, tu pourrais, maintenant, Lily. (Elle secoua la tête, l'air toujours bouleversé.) Viens, il faut que nous parlions. Je suis tellement stupide ! J'aurais dû y réfléchir plus tôt.

— À quoi donc ?

Lily suivit Georgie dans le couloir jusqu'à sa propre chambre. Sa sœur la poussa à l'intérieur et s'adossa un instant à la porte, comme si elle se sentait enfin en sécurité. Puis elle passa les doigts tout autour du chambranle, en grimpant sur un tabouret pour atteindre le haut. La mince ligne d'ombre autour du battant émit une lueur argentée pendant une seconde, après quoi la porte redevint une simple porte.

— Sortilège de silence, murmura Georgie. Ferme la fenêtre. Oh !

Elle rit malgré elle en voyant Henrietta revenir précipitamment du balcon et sauter au-dessus du rebord de la fenêtre. La petite chienne noire s'emmêla les pattes en tombant, mais elle se releva aussitôt et traversa posément la pièce, ses énormes yeux fixés avec désapprobation sur Georgie.

— Tu n'es pas belle à voir. Tes cheveux sont sales.

Georgie toucha ses mèches raides et ternes, et rougit.

— J'ai si peu de temps...

— Hum. Et que dois-tu faire, au juste, pour ne même pas avoir le loisir de te laver ?

Georgie fronça les sourcils.

— Je ne sais pas exactement... Maintenant que j'y réfléchis, je crois que Maman m'a jeté un sort. La plupart du temps, je ne pense qu'à une chose : travailler, réviser, m'exercer sans cesse, jusqu'à atteindre la perfection. C'est comme si rien d'autre ne comptait. Parfois, j'ai l'impression de m'observer moi-même, comme si je flottais au plafond et pensais : « Pauvre Georgie... Elle n'y arrive toujours pas... » Je crois que Maman est de plus en plus nerveuse. Je devrais être meilleure que ça. Peut-être a-t-elle jugé que tu risquais de me distraire. Je ne sais pas depuis combien de temps je suis ainsi, conclut-elle en se frottant les yeux, à bout de forces.

— C'est à peine si je t'ai vue depuis l'été dernier, Georgie. Depuis le jour où Maman a commencé à te donner des leçons toute la jour-née, et non juste le matin. C'est comme si tu t'étais mise à vivre dans la bibliothèque. Quand es-tu sortie à l'air libre pour la dernière fois ?

Georgie secoua la tête, hébétée. Toute couleur avait déserté ses joues, et sa pâleur extrême faisait ressortir de manière effrayante les cercles rouges autour de ses yeux.

— Les rares fois où je te croisais, poursuivit Lily, tu faisais comme tout à l'heure, dans l'escalier : tu passais près de moi sans me regarder, comme si je n'existais pas.

— L'été dernier ? murmura Georgie. Ça fait donc un an, et je n'ai pas progressé. Et je ne me rappelle presque plus rien de ce que j'ai fait pendant tout ce temps...

Elle chancela. Lily se hâta de la soutenir et la conduisit vers le lit, où elle la fit asseoir. Henrietta s'approcha, sautilla, griffa l'édredon, regarda Lily, jusqu'à ce que celle-ci la dépose également sur le lit. Elle trotta alors jusqu'à Georgie et posa les pattes avant sur ses genoux pour l'observer de plus près.

— Et aujourd'hui, que s'est-il passé ? Comment se fait-il que tu aies enfin aperçu ta sœur ?

— Je ne sais pas. Elle était là, dans l'escalier. Rien n'avait changé. J'étais étonnée de la voir, cela faisait si longtemps... Mais je devais aller chercher un livre que j'avais laissé en bas. C'est alors qu'elle a grogné dans mon dos...

Les bras de Lily se resserrèrent autour des épaules de sa sœur.

— Je suis désolée, j'étais en colère. Je ne voulais pas te faire de la peine – enfin, pas trop...

Henrietta secoua les oreilles.

— Ne t'excuse pas, Lily. Tu l'as libérée. Tu mériterais d'être remerciée, au contraire !

Georgie enroula une mèche autour de ses doigts et tira dessus, si fort qu'elle devait se faire mal.

— Je suppose que tes pouvoirs sont en train d'apparaître. C'est pour ça que je t'ai vue tout à coup, et que tu as brisé le sort que m'avait jeté Maman. (Elle se redressa brusquement et agrippa sa sœur par la manche.) Il ne faut pas que tu le lui dises !

Effrayée, Lily essaya de se dégager et recula sur les coussins. Elle n'avait jamais vu Georgie agir de la sorte. Ses yeux bleus avaient foncé, à tel point qu'ils étaient presque noirs. Henrietta avait battu en retraite et grognait sourdement, les griffes plantées dans l'édredon.

— Pou... pourquoi ? balbutia Lily.

Georgie était-elle jalouse ? Elle ravala ses larmes. Elle avait espéré que sa grande sœur serait fière d'elle. Depuis que Georgie avait commencé à l'ignorer, Lily n'avait cessé de se répéter qu'elle la détestait : après tout, elle l'avait abandonnée. Mais au fond d'elle-même – tellement au fond qu'elle ne se l'était jamais avoué – elle avait toujours voulu prouver à Georgie qu'elle n'était pas n'importe qui, elle non plus.

Sa sœur la lâcha et lissa la manche froissée pour s'excuser.

— Je suis désolée, je t'ai fait peur. Mais Lily, tu ne comprends pas ? J'ai toujours fait ce qu'elle me disait. J'ai obéi, comme une bonne petite fille disciplinée. Je n'ai jamais osé lui résister. Mais jusqu'à aujourd'hui, je ne me suis jamais demandé pourquoi. Ni même ce que je suis censée réaliser, exactement. Et c'est stupide ! Vous le pensez aussi ; ne le niez pas. Vous essayez toutes les deux de ne pas me blâmer, mais ce chien n'est pas très doué pour garder une expression neutre.

Lily jeta un coup d'œil à Henrietta, qui avait effectivement un air très critique. Il était visible que le carlin mourait d'envie de poser des centaines de questions à Georgie... tout comme Lily elle-même.

— Tu ne sais vraiment pas pourquoi elle t'entraîne comme ça ? Mais tu m'as toujours dit... que la reine était méchante, que le Décret n'aurait pas dû exister, que tous les magiciens s'allieraient un jour pour le prouver... et que c'était toi qui remettrais les choses à leur place !

— Je t'ai simplement répété ce que me disait Maman. Elle me raconte ça depuis toujours, Lily. Elle me le disait déjà à l'âge où j'étais trop petite pour lire un grimoire. Il a toujours été question de la prophétie, de mon destin, de notre héritage. Mais qu'est-ce que ça veut dire, au juste ? Comment suis-je censée atteindre ce but ?

— Pourquoi ne pas le lui avoir demandé ? lança Henrietta, dont le visage ridé restait réprobateur.

Georgie prit une inspiration comme si elle allait parler, mais elle soupira, posa son menton sur ses mains, et regarda fixement le couvre-lit. Quand elle releva les yeux, ils étaient redevenus bleus, mais elle continuait à avoir l'air malheureuse.

— En partie parce que j'étais trop effrayée pour l'interroger, j'imagine. Mais je crois aussi que le sort qu'elle m'a jeté m'empêchait de me poser des questions. Elle ne veut pas que je sache ce qui m'attend. Ce doit donc être quelque chose d'horrible.

— Quoi, par exemple ? dit Lily. J'ai toujours cru que ça signifiait que tu deviendrais très puissante, à tel point que rien ni personne ne pourrait t'arrêter. Tu réussirais à persuader la reine que la magie était une bonne chose, et tous les magiciens seraient à nouveau autorisés à vivre au grand jour. Papa serait gracié, et tout le monde redeviendrait heureux...

Lily débita ses prédictions avec un grand sourire, d'une voix lente et rêveuse. Cela avait toujours été son histoire préférée. Mais elle s'interrompit en réalisant combien ces phrases semblaient ridicules, dans cette chambre sombre et sale, à côté de sa sœur terrifiée et d'un chien parlant.

Henrietta confirma son impression :

— Si tu veux mon avis, on dirait un conte de fées.

Lily avala sa salive tandis que son rêve se brouillait et partait en fumée.

— Je reconnais que ça semble peu probable... Mais Maman a toujours dit que Georgie allait tous nous sauver. Comment, alors ? Surtout si elle ne sait pas ce qu'elle doit faire !

Il y eut un silence dans la pièce. Toutes les trois réfléchissaient.

— Peut-être que Maman ne sait pas non plus ce qui va se passer ? suggéra Lily. Peut-être qu'elle espère juste que si tu es assez bien entraînée, tu trouveras un moyen.

— Non. Vu la manière dont elle en parle, je suis certaine qu'elle veut que je fasse quelque chose de précis. Quelque chose d'étrange, et... de dangereux. J'ai quelques réminiscences... des mots isolés... mais je n'arrive pas à reconstituer le puzzle, même maintenant que tu m'as libérée.

Lily pouffa. À l'entendre, on aurait pu croire qu'elle avait héroïquement sorti Georgie d'un cachot ! Mais son envie de rire ne dura pas longtemps. L'effroi la saisit :

— Maman va-t-elle s'apercevoir de ce que j'ai fait ? Lors de ta prochaine leçon, va-t-elle remarquer que le sort a été conjuré ? Que va-t-elle dire ?

Georgie mâchonna une mèche de cheveux, malgré un grognement de réprimande d'Henrietta :

— Ça m'aide à réfléchir !

Finalement, elle secoua la tête :

— Je ne crois pas, Lily. Pas si je fais attention d'agir comme d'habitude, et de ne pas poser de question. De toute façon, la plupart du temps, Maman est tellement fâchée contre moi qu'elle ne remarquerait même pas si je devenais toute bleue... Et si elle s'en rend compte, je ne te trahirai pas. Tu dois garder tes pouvoirs secrets. Il ne faut pas qu'elle sache ! C'est peut-être aussi ça qui m'a aidée à me réveiller, d'ailleurs. Le désir de te protéger...

— J'aime beaucoup les secrets, annonça Henrietta. Du moment que je suis dans la confidence, bien entendu. Mais pourquoi est-il si important que Lily taise ses pouvoirs ?

— Vous ne comprenez donc pas ? Ma magie ne fonctionne pas de la manière prévue, et Maman est furieuse. Si je ne la satisfais pas, elle va prendre Lily à ma place !

Lily hocha lentement la tête. Elle se sentait étrangement tiraillée. Elle avait toujours souhaité être aussi importante, aussi exceptionnelle que Georgie. Mais soudain, rester anonyme semblait plus prudent.

— Elle passera à la suivante... dit pensivement Henrietta.

Elle se coucha sur le lit, en tendant ses pattes devant elle comme un petit lion chinois. Lily s'étendit près d'elle, appuyée sur ses coudes pour regarder sa sœur, pelotonnée de l'autre côté du chien.

— Surtout que je ne suis pas la première, murmura Georgie en caressant le poil soyeux d'Henrietta.

Lily ouvrit de grands yeux.

— D'où sors-tu ça ?

Georgie cligna des paupières et secoua la tête pour s'éclaircir les idées.

— Quelque chose qu'a dit Maman, je crois. Depuis que je ne suis plus sous son emprise, des fragments de souvenirs me reviennent. Il me semble qu'elle est en colère parce qu'elle est déjà passée par là.

Lily se redressa d'un seul coup, tellement excitée qu'elle parlait à toute allure :

— C'est vrai ! Elle vient de le dire. Tout à l'heure, avec Marten, tu te rappelles ? Elle a parlé des *autres*.

Elle frissonna, et posa la main sur le dos d'Henrietta pour chercher un peu de réconfort. La chienne fut parcourue d'un tremblement, comme si les doigts de Lily étaient glacials.

— Oh, Georgie. Dans la chapelle. Les pierres tombales, avec les noms. Lucy. Et... et...

— Prudence, compléta Georgie en un murmure. Mais c'étaient des bébés !

— Il n'y a pas de date sur leurs tombeaux, Georgie.

— Ne t'en souviendrais-tu pas, si elles étaient assez grandes pour faire de la magie quand elles sont... parties ? demanda Henrietta.

— Les pierres ont toujours été là, d'aussi loin que je me souvienne. Peut-être que Maman les a eues très jeune ? Oh, c'est ridicule, Lily. Nous nous inventons des histoires à partir de rien du tout. Maman était jeune, et ses bébés sont morts. C'est tout. Probablement à la naissance. Ça arrive tout le temps.

Lily acquiesça, soulagée. Elle aurait donné n'importe quoi pour croire Georgie. Elle n'avait qu'une envie : se lover sur le lit, près de sa sœur, caresser Henrietta, et ne plus réfléchir à rien. Mais ses pensées la trahissaient, tourbillonnaient dans son esprit, refusaient de disparaître.

L'adorable petite chienne à la fourrure si douce était arrivée de manière surnaturelle. Les pouvoirs de Lily étaient en train d'éclore, et tôt ou tard, sa mère s'en apercevrait.

Georgie avait beau décevoir Maman, sa peau bourdonnait, débordait de magie chaque fois que Lily la touchait. Elle la voyait trembler dans l'air entre elles deux. Il y avait quelque chose en elle, une énergie néfaste et étrangère, entremêlée à celle qui, bien plus douce, lui appartenait en propre.

Lily ne pouvait plus se cacher dans l'orangerie.

4

— Hum !

Un museau froid toucha le poignet de Lily, et elle sursauta.

— Qu'y a-t-il ?

Henrietta soupira, et même si Lily la connaissait depuis quelques heures seulement, il lui parut évident que c'était le soupir d'un chien à bout de patience.

— Tu n'avais pas parlé de biscuits ?

— Oh ! désolée...

Lily chercha des allumettes pour allumer la lampe à huile sur sa table de chevet, et saisit une boîte en argent terni. Henrietta se leva fébrilement en faisant frétiller sa queue tire-bouchonnée, trop courte pour être balancée de droite à gauche comme celle de n'importe quel autre chien.

— Oh, il y a des raisins secs ! J'adore les raisins secs.

Elle prit avec délicatesse le gâteau que Lily lui tendait et le mâcha avec un plaisir manifeste. Quand elle l'eut avalé, elle lécha la courtepointe pour ramasser toutes les miettes, puis elle s'assit devant Lily, ses énormes yeux rayonnant d'amour et de gourmandise.

— Encore un ? proposa Lily, souriante, en tendant un biscuit au-dessus du petit nez noir.

— Ça fait environ soixante ans que je n'ai pas mangé, tu sais. J'ai *faim* !

Henrietta sauta, les quatre pattes à la fois, et arracha la friandise des doigts de Lily.

— Ha ha ! Tu ne savais pas que je pouvais faire ça, pas vrai ? demanda-t-elle la bouche pleine, toute fière.

Quand Henrietta eut avalé quatre biscuits, et Lily et Georgie deux chacune, la boîte fut vide ; même Henrietta finit par l'admettre après avoir longuement reniflé l'intérieur. La chienne soupira et s'installa à nouveau sur l'édredon en se léchant les babines, au cas où quelques miettes seraient restées accrochées à ses poils. Elle regarda les deux sœurs.

— Alors, que faisons-nous ?

Georgie demeura interloquée.

— Que... faisons-nous ? répéta-t-elle, hésitante.

— Nous devons faire quelque chose, lui fit gentiment remarquer Lily. Il faut au minimum découvrir ce que prépare Maman. C'est de ta vie qu'il s'agit, Georgie ! Tu ne peux pas la laisser t'utiliser dans une machination quelconque.

Henrietta secoua vigoureusement la tête.

— En effet. Il faut au moins que tu saches quel est son but. Sinon, tu serais très irresponsable.

Georgie ferma les yeux, tant elle était lasse.

— Je regrette presque de ne pas avoir continué à descendre l'escalier. C'était tellement plus simple de laisser Maman me diriger à sa guise ! Tu es terriblement autoritaire, Lily. Et le chien est pire encore.

— C'est très malpoli de m'appeler « le chien », la réprimanda Henrietta d'un ton pincé. J'ai un nom, tu sais.

— Tu vois ? On dirait une institutrice trop guindée ! Mais je sais que vous avez raison, ajouta Georgie en regardant ses doigts d'un air malheureux. Ça me coûte de m'y résoudre, c'est tout.

Henrietta traversa le lit et alla chuchoter à l'oreille de Lily :

— Tu ne trouves pas que ta sœur est une vraie lavette ?

— Tu le serais aussi, si tu étais sous l'emprise d'un maléfice depuis un an, sans avoir le droit de rien faire d'autre que travailler !

Mais tout en prenant la défense de Georgie, Lily ne pouvait s'empêcher de lui donner raison.

— Ce doit être pour ça qu'elle n'arrive pas à faire ce que ta mère essaie d'obtenir d'elle, ajouta Henrietta dans un chuchotement parfaitement audible. Elle n'a pas assez de cran.

— Tu es injuste !

Georgie releva la tête. Elle riait.

— Elle n'a pas tort, Lily. Tu devrais peut-être montrer tes pouvoirs à Maman, en fin de compte. Tu serais bien meilleure que moi. D'un autre côté, je ne suis pas sûre qu'elle pourrait te forcer à lui obéir. Tu lui renverrais probablement son propre sort dans les dents ! Tu lui ressembles, au fond. Tu es aussi déterminée qu'elle.

— Je veux juste savoir ce qui se passe. Et si tu ne peux pas lui poser la question, alors nous devons le découvrir autrement. Par n'importe quel moyen.

Georgie mit à nouveau une grosse mèche de cheveux dans sa bouche, et la mordilla nerveusement. Dans cette position, elle évoquait plus que jamais une souris, et Lily l'observa avec inquiétude. Elle avait beau en vouloir à Henrietta de ses propos, il lui fallait admettre que Georgie ne ressemblait pas à une conspiratrice, mais plutôt à une fillette de douze ans prête à s'évanouir pour peu que quelqu'un parle trop fort.

— Mais comment ? murmura-t-elle à travers ses cheveux.

— J'imagine que quand tu es dans la bibliothèque, Maman te surveille... réfléchit Lily. Donc tu ne peux pas fouiner. Il va falloir nous y rendre à un autre moment.

Georgie serra ses genoux contre sa poitrine. Ses minces poignets dépassaient de ses manches de dentelles. Elle tremblait.

— Le faut-il ?

Henrietta gloussa, sans perdre son air de grande dame.

— Une lavette ! chuchota-t-elle encore une fois à l'attention de Lily.

Cette dernière essaya de lui mettre un doigt sur la bouche, et se mit à rire quand elle toucha une truffe froide à la place. Henrietta se frotta contre elle avec affection.

— Moi, je viendrai t'aider à chercher.

Georgie la fixa avec des yeux durs, qui rappelèrent à Lily les silex gris-bleu qu'elle trouvait parfois sur la plage.

— Moi aussi. Je te signale que tu n'as jamais rencontré notre mère. Tu ne sais pas à quoi tu t'exposes.

Henrietta haussa le menton dédaigneusement, mais en même temps, elle remua le derrière avec une certaine nervosité, preuve que les mots de Georgie avaient fait mouche.

— Demain, nous attendrons que Maman quitte la bibliothèque, décida Lily. Et à la première occasion, nous fouillerons la pièce.

Georgie hocha la tête sans enthousiasme, et Lily conclut :

— Très bien. D'ici là, il faudra que tu te comportes comme d'habitude. Il le faut ! insista-t-elle quand Georgie frémit.

— Je sais ! Mais tu n'as aucune idée de ce que c'est d'être assise dans la bibliothèque à essayer d'apprendre des formules sous la surveillance constante de Maman. Sans compter que maintenant, en plus du reste, je vais avoir peur qu'elle remarque que j'ai changé. Je vais passer tout ce temps à m'imaginer qu'elle est debout juste derrière moi, en train de tendre les doigts...

Elle frissonna. Elle avait réussi à s'effrayer elle-même, ainsi que Lily, et même Henrietta, dont les yeux saillaient encore plus que d'habitude.

Lily avala sa salive.

— Je sais. Je veux dire, je sais que je ne sais pas. Je veux juste t'aider, Georgie. Tu ne peux pas accepter de passer le reste de ta vie comme ça !

— Ce ne serait pas... commença Georgie, avant de s'interrompre et d'admettre dans un murmure : Si, j'imagine que ça pourrait l'être.

— Surtout que dans ces conditions, ta vie risque de ne plus être très longue, fit remarquer Henrietta.

Lily lui adressa un regard de travers.

— Tous les chiens manquent-ils de tact à ce point, ou juste toi ?

Henrietta haussa les épaules.

— Les chiens ne manquent pas de tact. Ils ne voient pas l'intérêt de mentir poliment – ce qui est en gros la définition du tact, tu sais.

Lily ouvrit la bouche pour répliquer, puis la referma. Henrietta n'avait pas complètement tort.

***

— Je vais éternuer, gémit Henrietta à l'oreille de Lily.

— Non ! Retiens-toi !

— Votre gouvernante est lamentable. Toute cette poussière !

— Nous n'en avons plus, expliqua Lily en jetant un œil de l'autre côté du lourd rideau en velours, en direction de la porte de la bibliothèque. Seulement un majordome, Mr Francis, et il est myope.

— La mère d'Arabel aurait renvoyé la moitié du personnel si la maison avait été dans un tel état.

Le carlin secoua la tête en se touchant la truffe de la patte.

— Tu es au courant que nous sommes censées nous cacher ? lui fit remarquer Lily. Chut !

— Oh, personne ne peut nous entendre ! Cette porte est bien trop épaisse. De toute façon, je n'ai pas très bien compris pourquoi nous devions rester ici. Ta sœur ne pourrait-elle pas venir nous chercher au départ de ta mère ?

Lily soupira, et se renfonça sur le rebord de la fenêtre, derrière le rideau.

— Si. Mais... je ne suis pas sûre qu'elle le ferait.

Elle pouvait facilement se représenter Georgie en train de trembler dans la bibliothèque et d'essayer de rassembler son courage pour venir les chercher. Il valait mieux qu'elle monte la garde elle-même.

Henrietta la caressa du museau, puis se dressa sur ses pattes de derrière pour regarder à travers la vitre sale.

— Je vois la mer. Lily, tu n'as vraiment jamais quitté cette île ?

— Jamais.

— Ma pauvre. Je suis une chienne londonienne, tu sais. C'est très joli, la campagne, mais j'aime avoir des pavés sous les pattes. J'imagine que Londres a changé, elle aussi, dit-elle, visiblement scandalisée à cette idée.

Elle se retourna brusquement, les oreilles dressées.

— Quelqu'un vient !

— Peut-être que Maman va enfin remonter ? supposa Lily en reculant autant qu'il lui était possible contre la vitre.

— Non, non ! De l'autre côté ! Quelqu'un descend l'escalier.

— Ah ! Ce doit être une femme de chambre. Martha, ou Violette. Sauf que ça fait des heures que nous sommes ici, et je n'ai vu monter personne !

— Quelqu'un de très petit. Ou très léger, peut-être ? Avec une odeur bizarre. Pouah ! Non, une odeur horrible. Acide, anormale... affreuse ! Qui est-ce, Lily ? Chut, tais-toi, elle traverse le hall.

Des pieds martelaient rapidement le sol de pierre. Ils s'engagèrent dans le couloir où Lily et Henrietta montaient la garde. Elles aperçurent une femme en noir au visage dissimulé derrière un voile, qui passa devant eux, frappa discrètement à la porte de la bibliothèque, et disparut à l'intérieur.

— Alors ? Qui est-ce ? demanda Henrietta en se penchant pour regarder la porte refermée.

— Marten. La suivante de Maman. C'est vrai qu'elle est horrible. On dirait un fantôme... Mais elle ne sent pas mauvais ; en tout cas, je ne l'ai jamais remarqué. Elle est si propre ! Sa robe est toujours impeccable. Les Talisiens sont très doués pour le repassage, il paraît.

Henrietta lui jeta un regard en biais.

— Crois-moi, elle sent mauvais. Mais ça n'a rien à voir avec le fait qu'elle se lave ou pas. Je dirais même qu'elle n'a probablement pas besoin de se laver... ajouta-t-elle avec une lueur étrange dans ses yeux noirs. Pourquoi ne l'aimes-tu pas, au fait ?

— Eh ! bien... Pour commencer, elle ne me parle jamais. Les autres domestiques le font, eux... Ils ont pitié de moi, je crois. Martha m'offre toujours de la nourriture supplémentaire, et Violette essaie de m'instruire. Elles savent que je ne peux pas faire de magie (Lily ignora le gloussement d'Henrietta) et elles estiment qu'on me néglige.

— C'est vrai, on te néglige. Heureusement ! Si tu avais suivi un apprentissage comme ta sœur, tu n'aurais jamais eu le temps de me faire venir.

— Le plus étrange, avec Marten, ce sont ses yeux. Ils sont horribles. Tout gris, avec rien au centre. Pas de pupilles. Ni de blanc autour, d'ailleurs. Ils sont entièrement gris.

Henrietta haussa les sourcils, intriguée.

— Et personne ne l'a jamais remarqué ? Les autres serviteurs ?

— Marten ne se rend presque jamais dans la cuisine, ni à l'étage des domestiques. Elle mange dans sa chambre, qui communique avec celle de Maman. Et puis tu l'as bien vue, elle porte un voile sur le visage. Les autres disent que c'est une mode talisienne, mais je n'y crois pas. Je pense que c'est pour cacher ses yeux. Il faut vraiment faire un effort pour les voir.

Elle prit Henrietta sur ses genoux et caressa longuement sa douce fourrure pour se calmer.

— En général, j'essaie de ne pas penser à elle. Tu crois qu'elle est sous l'emprise d'un sortilège ?

— Non. Je crois que *c'est* un sortilège.

— Tu veux dire qu'elle est faite de magie ? chuchota Lily, stupéfaite. Je ne savais pas qu'on pouvait faire ça !

— La plupart des gens ne le pourraient pas. Ce n'est pas à la portée du premier magicien venu. Le père d'Arabel était très instruit. Il ne pratiquait pas très souvent la magie, même s'il en était capable, quand il le voulait. Mais il écrivait des livres sur ce sujet. Et il en parlait ! Tout le temps, sans cesse... Surtout pendant les repas. Cela dit, ça pouvait s'avérer utile. Je me rappelle l'avoir entendu évoquer les créatures artificielles. Elles sont très, très difficiles à faire. Et c'est dangereux. Je n'avais pas réalisé à quel point ta mère était puissante. (Elle prit un air désolé, une expression qui s'adaptait très bien à ses rides.) Je n'ai pas été gentille avec ta sœur. Elle a raison d'avoir si peur.

— Vraiment ? Ce n'est pas de la faiblesse de sa part, alors ?

Mais Henrietta recula soudain jusqu'à la fenêtre, les babines retroussées au-dessus de ses crocs, en un grondement silencieux. Quelqu'un sortait.

Lily ouvrit grand les yeux, comme si, en faisant un effort, elle avait pu voir quelque chose à travers l'épais velours poussiéreux. Même à cet instant-là, cachée derrière un rideau dans une situation effrayante, elle sentit son cœur bondir d'excitation. Peut-être qu'en effet, elle aurait pu ? Chaque fois qu'elle repensait à la manière dont elle avait réussi à faire venir Henrietta, cette idée la rendait ivre de joie. Une joie mêlée de terreur délicieuse, mais Lily savait que pour rien au monde elle n'aurait voulu renoncer à la magie.

Elle entendit des pas, et la voix basse et musicale de Maman. La porte de la bibliothèque s'ouvrit, et Maman passa dans le couloir, suivie de près par Marten.

Lily enfonça ses doigts dans le bois vermoulu du châssis pour ne pas s'écrouler sur le sol devant sa mère. C'était comme si cette dernière avait été un aimant, et elle-même une aiguille de fer, attirée par sa magie puissante et terrible.

De l'autre bras, elle retint Henrietta, car les griffes du petit chien s'étaient mises à glisser toutes seules sur le plancher, et elle regardait Lily avec horreur, les yeux exorbités.

Seul un tout petit bout de patte noire apparut de l'autre côté du rideau, mais ce fut suffisant pour que la tête voilée de Marten se tourne comme mue par un ressort. Lily sentait les yeux de pierre peser dans sa direction, et elle se renfonça encore davantage dans son coin, avec tant de force qu'elle était certaine que les fibres du bois s'imprimeraient sur sa peau. Elle pria pour que Marten croie à une simple souris. Le magnétisme de Maman se dissipait peu à peu.

Le bruit de pas s'interrompit un instant, il y eut un léger sifflement, puis Marten repartit, et Lily recommença à respirer.

La porte s'ouvrit alors en grinçant, ce qui les fit sursauter toutes les deux. Le visage anxieux de Georgie apparut dans l'entrebâillement.

— Lily, tu es là ?

Lily se redressa avec difficulté derrière la tenture, et sortit de sa cachette, Henrietta dans les bras. La chienne se léchait frénétiquement les pattes, comme si elle avait peur d'avoir été contaminée.

— Elle est horrible ! chuchota-t-elle. Je ne comprends pas comment deux filles telles que vous pouvez avoir une mère aussi désagréable ! Ni comment tu as réussi à rester aussi... innocente ! ajouta-t-elle en regardant Georgie, presque soupçonneuse.

Lily se glissa dans la bibliothèque et referma la porte derrière elle. Elle s'y adossa, et essaya de reprendre son souffle : son cœur battait la chamade. Mais l'air de la pièce lui semblait épais, étouffant, et elle respirait avec difficulté.

— C'est à cause de la magie, expliqua Georgie. Elle flotte même dans l'air, ici. Respire par la bouche en attendant de t'y habituer. Ça t'aidera.

Henrietta avait sauté par terre et trottait ici et là, nez au vent. À l'époque la plus prospère de Merrythought, lorsque les magiciens de tout le pays et même du monde entier se rassemblaient sur l'île, la bibliothèque avait été leur salle de réunion. C'était la plus grande pièce du manoir, encore plus imposante que le hall ; elle occupait toute la largeur du bâtiment, sur une hauteur de deux étages, et son plafond, au centre, s'ouvrait sur une coupole en verre entourée par une galerie. Lily n'y venait presque jamais. Elle s'était souvent demandé comment la pièce pouvait être aussi sombre malgré la coupole et les énormes fenêtres donnant sur la roseraie – où il poussait désormais bien plus de pissenlits que de roses. Mais à présent, elle voyait la magie tournoyer dans l'air, comme des grains de poussière dans les rayons du soleil, et voiler la lumière.

— Georgie, savais-tu que Marten n'est pas réelle ? Henrietta dit qu'elle a été fabriquée par magie.

— Je ne crois pas que ce soit possible.

— Si, c'est possible, et c'est vrai, grogna une petite voix provenant de l'une des étagères qui couvraient les murs. Bien sûr, ce n'est pas forcément votre mère qui l'a créée. Mais elle avait son odeur, il me semble. Musquée.

Georgie se laissa tomber sur une chaise, comme si ses jambes avaient cédé sous elle.

— Pourquoi Maman ne peut-elle pas avoir une suivante normale ? Je n'arrive même pas à imaginer quel genre de magie il faudrait utiliser. Par où commencer ?

Lily se percha sur la table à côté d'elle.

— Par un corps, je présume ? Peut-être que la formule se trouve dans un de ces livres.

Il y en avait partout – empilés sur la table, débordant des étagères, et même alignés sur le rebord de la fenêtre. La pièce sentait la magie et le papier moisi.

— Un corps ? s'écria Georgie, horrifiée. Maman ne ferait pas une chose pareille, si ?

— Je voulais juste dire qu'il faudrait commencer par *fabriquer* un corps... Tu crois que... tu crois que Maman pourrait en avoir volé un quelque part ?

— Non ! C'est toi qui as pensé ça. Je n'ai jamais dit rien de tel !

— Personnellement, ça ne me surprendrait pas le moins du monde, intervint Henrietta.

Elle prit appui sur un épais dictionnaire de magie qui traînait par terre et sauta sur le fauteuil à côté de Georgie. Puis elle s'assit soigneusement sur le coussin brodé en regardant Lily et Georgie, la tête penchée, comme si elle s'amusait beaucoup.

— Ce n'était pas forcément un corps humain, au début, bien sûr. Non que Marten soit humaine, même à présent, d'ailleurs.

— Est-ce que notre grand-tante Arabel faisait des choses de ce genre ? demanda Georgie, fascinée.

— Certainement pas ! Seuls les pires magiciens s'y risqueraient. (Elle les regarda bien en face.) Vous en êtes conscientes, n'est-ce pas ? que votre mère est terriblement dangereuse ?

Lily s'affaissa un peu. Elle avait peur de sa mère ; elle en avait toujours eu peur, depuis son plus jeune âge. Mais elle en avait aussi été fière. Tout ce à quoi elle avait toujours cru lui était peu à peu arraché, comme quand elle était debout sur la plage et que les vagues venaient voler le sable entre ses orteils.

— Est-elle si terrible que ça ? chuchota-t-elle tristement, dans l'espoir qu'Henrietta se mettrait à rire et répondrait : « Oh, il y a pire. »

Henrietta ne dit rien pendant un moment. Elle touchait sa truffe avec sa patte. Puis elle soupira.

— Je n'ai connu Arabel que lorsqu'elle était à peine plus âgée que toi, Georgiana. Votre famille était alors très différente. C'étaient des magiciens puissants, mais ils ne pratiquaient pas la magie noire, même si le père d'Arabel adorait discourir à ce sujet. Arabel et ses sœurs apprenaient des sortilèges plus subtils, plus positifs. Des charmes. Des illusions. Des enchantements pour faire changer le temps – je ne m'étonne pas qu'elle se soit spécialisée dans la magie météorologique. Ses sortilèges tournaient souvent mal, mais elle avait déjà

90

du talent, à l'époque. Ce que votre mère veut réaliser est bien plus inquiétant. Et la moitié des livres que contient cette pièce devraient être conservés sous clef.

— Tu ne connais pas Maman ! protesta Georgie. Je ne vois pas comment tu peux dire ça.

Lily fut si surprise que sa sœur prenne la défense de leur mère qu'elle se mit à rire, forcée de tomber d'accord avec Henrietta. Le carlin avait raison.

— Georgie, elle t'a jeté un sort tellement puissant que tu avais presque oublié qui j'étais ! Comment peux-tu justifier une chose pareille ?

— Ta sœur a passé beaucoup plus de temps que toi en sa présence, dit Henrietta en se penchant vers Georgie et en la flairant avec suspicion. Il serait étrange qu'elle n'ait pas absorbé une partie de sa magie – et de ses valeurs. Sans compter qu'il doit lui rester des bribes du sort qu'on lui a jeté.

— Arrête de me renifler ! s'énerva Georgie.

Henrietta pencha à nouveau la tête sur le côté, une attitude qu'elle semblait prendre quand elle réfléchissait.

— Le maléfice a-t-il été réalisé ici ? Si oui, cela expliquerait pourquoi elle retombe dedans...

— Je ne retombe pas dedans ! s'indigna Georgie, dont les yeux lançaient des flammes. Tu es la créature la plus malpolie que j'ai jamais rencontrée – et crois-moi, Maman m'a montré des élémentaux tout à fait répugnants ! (Elle se calma un peu.) Je sais que Maman mijote quelque chose, et sans doute quelque chose de mal. Mais j'ai toujours été destinée à l'accomplir, Lily. J'ai l'impression qu'on a arraché un tapis sous mes pieds – tout ce que je savais a changé en quelques heures.

Elle serra ses bras autour d'elle, et reconnut à contrecœur :

— Henrietta a raison. C'est plus difficile, ici. Le maléfice doit encore être dans l'air, et ça me donne envie de faire ce qu'on m'a ordonné de faire.

— Alors nous devons nous dépêcher de trouver... ce que nous cherchons, résolut Lily.

Elle se leva et regarda autour d'elle, un peu déboussolée, sans savoir par où commencer. Pendant les minutes qui suivirent, elles firent le tour de la pièce, prenant ici et là un livre pour le feuilleter. Finalement, Lily se laissa tomber dans un coin avec un soupir de découragement.

— Oh, c'était une idée stupide ! Je croyais que ce serait plus facile... Comme si elle allait mettre une étiquette quelque part, avec écrit dessus « mon plan diabolique ». Il doit y avoir des milliers de livres, ici, et n'importe lequel d'entre eux pourrait contenir le sortilège qu'elle veut que tu réalises.

— Je ne crois pas que c'est un livre que nous devons chercher, objecta Georgie, debout devant un bureau qui avait été placé sous une fenêtre. C'est ici que Maman s'installe pour écrire. Ne devrions-nous pas fouiller parmi ses documents ? (Elle se tourna vers Lily et fit une grimace.) Oh, je vois ce que tu veux dire. Un dossier intitulé « mon plan diabolique »... Tu as raison, c'est peut-être stupide.

— Pas forcément, objecta Henrietta.

Elle avait grimpé sur une des étagères les plus basses, et reniflait les livres avec curiosité, en éternuant avec dégoût quand elle tombait sur un ouvrage particulièrement âcre.

— Après tout, pourquoi aurait-elle besoin de cacher ses intentions ? Elle croit que tu es sous sa coupe, Georgiana ; quant à toi, Lily, j'ai l'impression qu'elle a complètement oublié ton existence. Ce qui est une bonne chose, ajouta-t-elle en allant lécher amicalement l'oreille de cette dernière. Bref, si elle avait écrit quelque chose, elle aurait très bien pu le laisser traîner n'importe où.

— S'assied-elle aussi ailleurs ? demanda Lily.

— Parfois dans ce grand fauteuil, là-bas, répondit Georgie. Le reste du temps, elle rôde dans la pièce et surgit tout à coup derrière moi pour me dire que je me débrouille mal.

Le fauteuil avait été tiré près de la cheminée, et des livres et des papiers étaient éparpillés tout autour. Il était tapissé d'un tissu sombre et légèrement brillant qui rappela à Lily les robes de Maman. Il avait aussi son odeur, cet étrange parfum musqué qu'Henrietta avait détecté dans la magie qui composait Marten. Un peu comme une de ces épices que Mrs Porter conservait dans des pots en terre cuite sur le vaisselier. Personne n'avait l'autorisation d'y toucher, car elles venaient d'Orient et coûtaient cher. Lily s'approcha sur la pointe des pieds, puis se sentit ridicule d'avoir peur d'un fauteuil.

Georgie examinait les papiers sur le bureau, en essayant de ne pas les déranger pour que leur perquisition ne soit pas remarquée.

— Tout ceci concerne les vieilles familles de magiciens... Et ça, c'est un sortilège qui permet de faire germer une graine à l'intérieur de quelqu'un... Pourquoi Maman voudrait-elle faire une chose pareille ?

Lily contourna le fauteuil pour regarder les objets étranges posés sur un petit guéridon placé juste à côté du siège : une carafe contenant une mixture foncée qu'elle n'avait pas l'intention de goûter, un peigne en ivoire brisé, et un livre relié en cuir émeraude. C'était un épais volume, avec un titre doré à moitié effacé sur la couverture. Lily dut se pencher pour le déchiffrer, et elle finit par soulever le livre pour mieux voir. En lettres élégantes était écrit *Album de photographies.*

Une petite carte en tomba, décorée de fleurs d'un marron passé. Un message avait été tracé dessus dans une écriture en pattes de mouche : *À ma chère nièce Nerissa, à l'occasion de son mariage.* Nerissa était le prénom de Maman.

Lily l'ouvrit doucement et tourna les pages raidies. Cela commençait par un portrait de mariage ; Maman était assise sur une petite chaise et Papa debout derrière, l'air grave. Lily caressa doucement l'homme du doigt. Maman possédait une miniature de lui dans un médaillon qu'elle conservait sur sa coiffeuse, mais Lily ne l'avait jamais vue. Elle réalisa que s'il n'avait pas été juste à côté de Maman sur cette image, elle l'aurait pris pour un étranger.

Observant la photographie de plus près, Lily remarqua que la colonne devant laquelle ils posaient faisait partie du belvédère qui se trouvait au centre de la mer de pissenlits, sous les fenêtres de la bibliothèque. Merrythought était encore un manoir riche et élégant, à l'époque, même si le Décret avait déjà été promulgué. En dessous était inscrite une date : juin 1865 – vingt-cinq ans auparavant.

— Qu'est-ce que c'est ? demanda Georgie en venant regarder par-dessus son épaule.

— Des photographies. Regarde, leurs noces. Et voici Maman avec un bébé, commenta-t-elle en tournant la page. Oh, c'est Lucy ! Elle est née juste un an après leur mariage – si elle avait vécu, elle aurait désormais vingt-quatre ans...

Henrietta grimpa sur le fauteuil pour regarder également.

— Comme c'est intéressant, ces images ! Arabel et ses sœurs sont allées à une exposition de daguerréotypes à Londres, une fois, et elles m'ont emmenée, mais je n'ai jamais rien vu de tel. Tout le monde a l'air si triste !

— Il faut rester parfaitement immobile, expliqua Georgie. C'est pour ça que tout le monde semble toujours de mauvaise humeur, dessus. Ça prend une éternité !

Lily avait tourné d'autres pages, et découvert des images de fillettes grandissantes.

— Lucy et Prudence. Elles étaient plus âgées que moi, j'ai l'impression. Ce n'étaient plus des bébés quand elles sont mortes, Georgie. Elles avaient au moins ton âge.

Elle se mordit les lèvres, angoissée.

— Les enfants aussi meurent, parfois, rétorqua Georgie, têtue, avant de soupirer : Mais... toutes les deux ? Elles ont peut-être eu la typhoïde... N'empêche que ce serait vraiment une malchance terrible de perdre deux filles d'un coup.

— Ce n'est pas arrivé d'un seul coup. Regarde, sur celle-ci, Lucy n'est plus là. Il n'y a plus que Prudence, et le bébé qu'elle porte doit être toi, Georgie.

— Il n'y a pas d'autre portrait de Lucy, constata Henrietta.

La petite chienne tourna la page du bout du nez afin de voir la photographie suivante. Celle-ci représentait Prudence, avec ses longues boucles blondes. Son nom semblait bien lui convenir, car son visage était doux et sage. Elle ressemblait beaucoup à Georgie, et on lisait dans ses yeux la même expression effrayée. Elle tenait sur les genoux un joli bébé aux cheveux clairs, qu'elle regardait avec angoisse. Ou bien Lily se l'imaginait-elle ?

— Elle savait, murmura Henrietta.

Lily frissonna. Ce n'était donc pas son imagination.

— Le reste est vide, dit-elle en feuilletant le vieux volume. Tiens, il y a une pochette au fond !

Elle ouvrit la petite enveloppe et en sortit un bout de papier, manifestement plus récent que l'album. Il était couvert de l'écriture serrée et pointue de leur mère, dans une encre d'un bleu très foncé.

— On dirait une liste de sortilèges, dit-elle en tendant la feuille à Georgie.

— Oui. Tous horribles. Rien que lire leurs noms me donne le frisson.

— Montre-moi ça, exigea Henrietta, qui grimpa dans les bras de Lily pour mieux voir. Brrr ! Ils ne sont pas seulement horribles. J'ai entendu parler de certains d'entre eux. Ce sont des maléfices utilisés pour tuer des gens.

Georgie secoua la tête.

— Mais non. Certains sont dangereux, d'accord, mais ils ne peuvent pas servir à ça. Tiens, celui-ci, par exemple. Je le connais. Je l'ai étudié.

Elle désignait une des lignes, vers le milieu de la page. Lily la dévisagea avec des yeux ronds, et Henrietta se figea dans ses bras.

— Regarde ce qui est écrit dessous, grogna-t-elle doucement.

Agacée, Georgie obtempéra :

— *Coupe peu à peu la respiration et raréfie le sang. Efficace, mais assez lent.*

Il y eut un silence horrifié.

Enfin, au prix d'un effort, Lily parvint à faire sortir les mots coincés dans sa gorge et chuchota :

— Sur qui l'as-tu testé ?

— Je... je ne sais pas... Maman m'a dit de m'exercer, et je ne me rappelle pas toujours très bien...

Georgie lâcha le morceau de papier, vacilla, et s'accrocha au dossier du fauteuil pour ne pas tomber.

— Ai-je... ai-je tué quelqu'un ?

— Je pense que ça dépend de la manière dont tu as réussi le maléfice, répondit froidement Henrietta.

— Maman était furieuse. Elle m'a crié que je n'étais bonne à rien... Oh, peut-être que je n'ai rien fait de grave, alors ! Je n'ai pas pu... n'est-ce pas ?

— En as-tu appris d'autres ? demanda Lily en ramassant la feuille.

— Oui... celui-ci. Et cet autre. Environ la moitié de la liste, je dirais. Mais seulement en théorie. Ils sont tellement difficiles. Il faut énormément d'énergie et d'entraînement ; et même quand on les connaît par cœur, il y a un tour de main à prendre. Je n'ai pas essayé les autres ; je ne suis même pas assez douée pour m'y mettre.

Pour la première fois, Georgie avait l'air soulagée d'avoir moins de talent que prévu. Elle se laissa tomber dans le fauteuil. Elle semblait avoir la nausée.

— Lily, Maman est en train de m'apprendre à tuer, dit-elle platement. Je ne veux pas tuer qui que ce soit ! Qui pourrait désirer commettre une chose pareille ?

Elle se recroquevilla contre le dossier, menue et fragile parmi les coussins.

— Ta mère, de toute évidence, marmonna Henrietta, qui renifla la liste et éternua comme si elle était couverte de poivre.

— Je crois qu'elle a quelqu'un de précis en tête, fit remarquer Lily en désignant une autre ligne. Regarde ce qui est écrit ici. *Trop difficile à effectuer sur elle.* Ils sont tous prévus pour une personne en particulier.

Georgie fronça les sourcils et se redressa.

— Est-ce ainsi qu'ont disparu Lucy et Prudence ? Maman essaie de m'apprendre des maléfices pour que je m'élimine moi-même ? Ça n'a aucun sens.

— Mais non. Réfléchis. *Elle.* La femme que Maman déteste par-dessus tout. Celle qui est à l'origine de tous nos malheurs.

Henrietta lança un aboiement excité.

— Ah ! J'ai compris. La reine, n'est-ce pas ?

Lily hocha la tête.

— Oui. Georgie, elle veut que tu assassines la reine Sophia.

5

Les deux filles et la chienne étaient assises devant le feu mourant de la cheminée, dans la bibliothèque. Les yeux fixés sur les charbons rougeoyants, elles essayaient d'assimiler ce qu'elles venaient de deviner.

— C'est donc ça ? marmonna Georgie. Elle veut éliminer la reine ?

— C'est cohérent, dit Lily. Ça cadre avec ce que Maman t'a toujours raconté, et que tu m'as répété. Que la reine Sophia est un terrible tyran, que nous devons rétablir la fortune des magiciens... Le meilleur moyen pour faire revenir la magie serait de la tuer, pas vrai ? C'est elle qui l'a interdite après la mort de son père.

— Je suppose. Et peut-être que ce ne serait pas une si mauvaise chose qu'elle disparaisse. Après tout, elle a bel et bien mis Papa en prison.

— Si ça se trouve, il le méritait. S'il complotait contre la vie de la reine, lui aussi...

— Non. Ce serait un crime de haute trahison, Lily. Quelqu'un coupable de haute trahison n'est pas emprisonné : il est pendu haut et court. Papa était peut-être d'accord avec Maman, mais il n'a certainement pas été découvert. Sinon, Maman ne serait pas restée en liberté, n'est-ce pas ? Nous aurions tous été arrêtés en tant que régicides. C'est comme ça qu'on appelle les gens qui tuent des rois ou des reines.

Lily hocha la tête, et remarqua qu'elle tenait Georgie par la main. Avant que Maman ne se mette à donner autant de leçons à Georgie, l'activité préférée de Lily consistait à jouer avec sa sœur. C'était difficile à croire, à présent que Georgie était si léthargique et silencieuse, mais elle avait inventé des jeux extraordinaires. Et leur favori, à toutes les deux, était le même. Elles n'y jouaient pourtant pas souvent : il ne fallait pas le gâcher, mais surtout elles savaient que si on les surprenait, elles passeraient un mauvais moment.

Il leur fallait tout d'abord chercher un placard pas trop plein : le placard à linge dans la chambre de l'ancienne gouvernante était le plus adapté. Ensuite, elles empruntaient un verre d'eau et un croûton de pain à Martha, dans la cuisine, puis jouaient à s'enfermer respectivement, à tour de rôle. (En réalité, Lily refusait de laisser Georgie fermer complètement la porte, car elle avait peur du noir, et Georgie s'y opposait parce qu'elle craignait que sa petite sœur n'aille se balader quelque part et l'oublie dedans, mais peu importait.) Celle des deux qui restait dehors et qui jouait le rôle du geôlier cruel se délectait alors à décrire les énormes rats qu'elle avait vus récemment, ou la longue agonie du prisonnier dans la cellule voisine.

Ce n'était un si bon jeu que parce qu'il était susceptible de se réaliser un jour. Si les Hommes de la reine surgissaient à l'improviste et découvraient que Maman n'avait pas renoncé à la magie comme promis, par exemple, ou si un des domestiques les dénonçait... ça pourrait leur arriver pour de bon. Comme c'était arrivé à Papa.

— Tu crois qu'il savait ce que faisait Maman ? demanda Lily d'une petite voix. Ça va faire bientôt neuf ans qu'il est en prison. Si nous avons vu juste au sujet de Lucy et Prudence, alors Maman prépare son coup depuis bien plus longtemps. Tu crois qu'il fait partie de la conspiration ?

Georgie serra le morceau de papier et secoua la tête.

— Je ne crois pas. Je ne me souviens pas très bien de lui – je n'avais que trois ans, après tout –, mais je ne pense pas qu'il nous aurait mises en danger. Il avait l'air constamment inquiet... Mais j'imagine que c'est logique, si deux de ses filles avaient disparu. Il me donnait de l'huile de foie de morue, ajouta-t-elle en souriant.

— Beurk !

Mrs Porter en avait un grand bocal, et de temps en temps, elle forçait Lily à avaler une cuillerée de ce breuvage infect.

— Non, j'aimais beaucoup ça. Je crois qu'il en modifiait le goût ; ça sentait la fraise. Il t'en donnait, à toi aussi. Tu ne te rappelles pas ? Un liquide rose ?

— Non...

— N'empêche qu'il le faisait, tous les jours. Et si je faisais seulement mine de tousser, il se mettait dans tous ses états... Je comprends mieux, maintenant.

— Lucy et Prudence sont donc tombées malades, conclut Lily à voix basse.

Georgie examina pensivement le papier dans sa main. Elle avait du mal à détacher le regard de cette liste de maléfices, en particulier de celui qu'elle avait peut-être utilisé.

— Tu sais, si les Hommes de la reine s'étaient aperçus que nous avions des pouvoirs, ils nous auraient enlevées à nos parents. J'ai entendu parler d'endroits horribles... Des écoles où on envoie les enfants de magiciens, pour empêcher leur don de se développer... Peut-être que la reine mérite vraiment d'être assassinée. Peut-être que Maman a raison d'agir comme elle le fait. À situation désespérée, mesure désespérée...

Lily la regarda un moment sans un mot. Puis elle saisit à nouveau l'album de photographies, le tendit à Georgie, et tourna les pages pour lui montrer leurs sœurs.

— Georgie, nous devons partir. Même si j'étais d'accord pour assassiner quelqu'un – et je ne le suis pas ! –, nous savons que Maman ne croit plus en tes capacités. Tu l'as entendue aussi bien que moi. Elle va te faire la même chose qu'aux autres, elle l'a dit elle-même ! Elle compte probablement utiliser un de ces maléfices. Comme tu n'arrives pas à les apprendre, elle va s'en servir pour se débarrasser de toi. Elle en trouvera un qui passe pour une maladie. Celui qui raréfie le sang, par exemple.

Georgie ne répondit pas. Lily la regarda, presque avec colère, et la secoua.

— Georgie !

— Je sais ! Mais où veux-tu aller ? Ni toi ni moi n'avons jamais quitté Merrythought, Lily. Je ne saurais pas comment vivre ailleurs.

— Moi, si !

Les deux sœurs se tournèrent vers la chienne noire qui venait de parler, assise confortablement entre les deux filles.

— Merrythought est une jolie résidence secondaire, mais je l'ai toujours trouvée trop calme, expliqua-t-elle en bâillant. Je préfère de loin Londres. Allons là-bas. Votre mère ne pourra jamais retrouver votre piste dans une aussi grande ville. Et si votre père n'est pas mêlé à cette histoire, ce serait une bonne idée de le chercher, pour lui raconter ce que son épouse est en train de mijoter. (Elle eut un sourire de loup.) Après tout, si quelqu'un découvrait ce qu'elle manigance, il aurait des ennuis, lui aussi, pas vrai ? Personne ne croirait qu'il est innocent. « Ces affreux magiciens, qui complotent jusqu'au fin fond de leur prison ! » Je crois que nous devrions partir dès que possible – avant qu'elle ne commence à s'intéresser à toi, Lily.

Lily la regarda fixement. Henrietta n'avait fait que formuler ce qu'elle pensait elle-même – y compris au sujet de Londres, où elle rêvait d'aller –, mais entendre quelqu'un d'autre énoncer ces faits à voix haute les rendait bien plus effrayants.

— Comment pouvons-nous quitter l'île ? Il nous faudrait un bateau. Il y a bien une barque à rames dans le petit hangar sous la falaise, mais il est toujours fermé. C'est Mr Francis qui garde la clef dans son bureau.

Georgie réfléchissait.

— J'ai vu des lettres de Papa, sans pouvoir les lire. J'ai juste aperçu les enveloppes, et déchiffré quelques mots pendant que Maman les lisait. J'ai souvent cherché les lettres par la suite, mais je pense qu'elle les cache. Elles venaient de Londres.

Soudain, Lily sursauta. Une main lui avait touché l'épaule.

Elle se retourna si brusquement qu'elle faillit tomber dans le feu. La main sale la rattrapa par la manche.

Au bout de trois années passées à avaler tout ce sur quoi il pouvait mettre la main dans la cuisine, Peter avait perdu son air famélique, mais il était resté maigre, et ne parlait toujours pas.

— Tu nous écoutais ? lui reprocha Lily.

— Lily ! Il n'entend pas !

— Il n'entend peut-être pas, mais ça ne l'empêche pas d'écouter ! rétorqua Lily en regardant Peter droit dans les yeux et en articulant avec soin pour qu'il puisse lire sur ses lèvres.

Peter sourit, et agita la main pour avouer qu'il avait saisi certaines choses. Pas tout. Mais suffisamment.

— Comment as-tu pu arriver jusqu'ici sans que nous t'entendions ? demanda Lily, en colère.

Peter posa le panier contenant du bois pour le feu qu'il avait apporté, et fouilla dans la poche de sa vieille chemise pour en sortir un bout de papier et un crayon. Il griffonna quelques mots, puis le tendit à Lily avec un sourire ironique.

Si vous voulez vous enfuir, il va falloir vous améliorer ! Faites plus attention à ce qui vous entoure.

— Nous ne savions pas que tu traînais dans les parages, grommela Lily.

Henrietta, qui tournait autour de Peter et reniflait ses pieds, lui griffa le genou pour l'inciter à la regarder et lui demanda posément :

— Pourrais-tu voler la clef du hangar à bateau ?

Peter écarquilla les yeux, à tel point qu'ils devinrent presque aussi ronds que ceux d'Henrietta. Tous les domestiques étaient conscients que le manoir débordait de magie, mais ils assistaient rarement à des phénomènes surnaturels. Maman était très prudente, et Lily savait que Peter n'avait jamais rien vu d'aussi surprenant qu'un animal parlant. Néanmoins, il se remit de son étonnement et hocha la tête, avec un haussement d'épaules.

— Tu veux bien faire ça ? Oh, Peter, et si tu nous accompagnais ? proposa Lily avec espoir. Nous devons absolument partir d'ici – Maman a jeté un sort à Georgie, et nous craignons qu'elle... qu'elle ne commette une vilenie...

Elle ne pouvait pas se résoudre à avouer qu'elles soupçonnaient leur mère de vouloir se débarrasser de Georgie.

— Nous comptons aller à Londres, poursuivit-elle. Allez, Peter, viens avec nous, s'il te plaît !

Peter remua les yeux de droite à gauche, comme une bête traquée, puis secoua la tête avec regret.

— Tout le monde n'est pas si méchant... objecta Lily.

Elle avait failli dire : « Tout le monde n'est pas aussi méchant que la famille qui t'a abandonné », mais s'était retenue. Néanmoins, le sous-entendu était évident.

Je glisserai la clef sous ta porte, écrivit Peter. Puis il la regarda, et ajouta : *Ce soir ?*

Lily se tourna vers Georgie et Henrietta. La chienne approuvait, enthousiaste. Georgie avala sa salive, enfonça ses ongles dans ses paumes, et murmura :

— D'accord.

Lily hocha la tête.

— Ce soir.

***

— Tu es sûre que c'est là-dedans ? chuchota Lily.

Elle regarda par-dessus son épaule, inquiète. Il était dix heures passées, et il faisait nuit. La flamme de leur unique bougie se reflétait sur les meubles et créait ici et là des ombres fantomatiques.

Henrietta posa les pattes de devant sur le fauteuil devant la coiffeuse.

— Je le sens d'ici. L'or a une odeur particulière, Lily. Un peu comme celle du beurre.

— Oh, dépêchez-vous ! gémit Georgie. Pour peu que Mrs Porter ait de nouveau laissé brûler le dîner, Maman pourrait revenir d'un moment à l'autre !

Elle était postée devant la porte de la chambre de leur mère et était censée surveiller le couloir. Quelques minutes plus tôt, elle avait pris un peu de poudre dans un pot en porcelaine devant le miroir, et l'avait éparpillée sur le tapis élimé en haut de l'escalier. Si le sortilège fonctionnait – Georgie prétendait qu'elle en doutait, mais Lily et Henrietta avaient choisi de mettre cela sur le compte de l'angoisse –, il suffirait que quelqu'un marche sur la poudre pour que le couvercle du pot se soulève et retombe bruyamment. C'était une très bonne idée. Si ça fonctionnait.

— Georgie, comment fait-on pour annuler un sortilège de fermeture ? Ce tiroir ne s'ouvre pas.

Georgie s'approcha rapidement, un œil posé avec anxiété sur le couvercle du pot de poudre.

— Voyons, Lily, ce n'est pas un sortilège ! Le tiroir est juste fermé à clef. Regarde, la clef est là, à côté du miroir.

— Oh.

Lily prit la clef, presque déçue que ce soit si facile. Elle ouvrit le tiroir et en sortit une bourse petite mais lourde, en velours rouge, qui tinta plaisamment.

— Qu'y a-t-il dessous ? demanda Georgie, cédant malgré elle à la curiosité.

— Des lettres ! Georgie, ce doit être celles de Papa !

Lily en saisit une, les doigts tremblants, et la déplia.

— *Ma chérie* – oui, c'est forcément lui ! *Je n'ai pas eu de tes nouvelles depuis si longtemps. Je t'en prie, écris-moi pour me dire comment vont mes filles adorées. Sont-elles toujours en pleine forme ?* C'est de nous qu'il s'agit, Georgie.

Lily cligna des paupières : ses yeux s'étaient soudain remplis de larmes. Personne ne s'était jamais soucié de sa santé, sauf peut-être Martha, qui était cependant trop occupée pour y songer souvent.

— J'imagine qu'il n'a pas grand-chose à faire en prison, à part s'inquiéter toute la journée, murmura-t-elle tristement, avant de reprendre sa lecture : *J'ai de nouveau été interrogé au sujet de cette ridicule histoire de complot. Ils doivent détenir une preuve quelconque, mais bien entendu, ils ne me disent pas en quoi elle* consiste, donc je ne peux pas me défendre. Je commence à croire que je ne réussirai jamais à les convaincre que les mots sont ma seule arme. Je ne peux pas approuver la loi – et sans ces affreuses restrictions qu'on nous impose, je ne serais pas capable de retenir ma magie. Comment pourrais-je l'emprisonner, si je n'étais emprisonné moi-même ? Donc peut-être ont-ils raison de me garder ici, après tout. Mais quoi qu'il en soit, jamais je ne m'abaisserais à comploter contre la reine.

Lily leva les yeux, rayonnante.

— Il n'est pas au courant ! Il n'aurait aucune raison de mentir dans une lettre à Maman, pas vrai ?

— Non... sauf s'il essayait de convaincre de son innocence les gardes qui lisaient ses lettres, mais c'est peu probable.

— Quelque chose arrive ! souffla soudain Henrietta.

— Maman ? s'affola Lily, qui posa les yeux sur le pot de poudre.

— Non. Quelque *chose*. C'est cette créature magique, et elle ne vient pas d'en bas. Je viens juste de la repérer, mais elle était là depuis le début. (Henrietta reculait vers le lit, reniflant à droite et à gauche.) Où donc ?

— L'antichambre ! s'écria Lily, horrifiée.

Elles avaient oublié de vérifier que l'antichambre était vide ! Peter avait raison, elles faisaient de très mauvaises conspiratrices. Marten avait probablement tout entendu, et allait raconter leurs projets à Maman. Il n'était plus question d'attendre jusqu'à minuit : elles devaient partir tout de suite. Lily prit la chienne dans ses bras.

— Viens vite, Georgie !

Mais déjà, la porte s'ouvrait. Horrifiée, Lily vit une main gantée de noir se glisser dans l'entrebâillement. Elle se rendit compte qu'elle n'avait jamais vu la peau de Marten. Peut-être n'en avait-elle pas.

— Filons ! cria Henrietta.

Elles se précipitèrent vers la sortie, tandis que la porte de l'antichambre continuait à s'ouvrir lentement.

— Va-t-elle nous poursuivre ?

— Elle n'en a pas besoin ! fit remarquer Lily, haletante. Elle sait que nous voulons nous enfuir, et que le seul moyen de quitter l'île, c'est de prendre la barque dans le hangar.

Elles traversèrent le couloir en coup de vent, sans plus songer à la fine couche de poudre sur le tapis en haut de l'escalier jusqu'à ce qu'elles entendent le tintement de la porcelaine loin derrière elles. Le couvercle avait bien sonné l'alarme.

— Ça a fonctionné ! rit Georgie, hystérique, tout en descendant les marches deux à deux.

— Bien sûr que ça a fonctionné. Ce n'est pas parce que tu ne peux pas assassiner quelqu'un que tu ne peux rien faire d'autre ! Avec un peu de chance, ça va distraire Marten pendant quelques secondes. Sortons par l'orangerie, il n'y aura personne, et c'est le moyen le plus rapide d'aller vers la falaise. J'ai caché nos bagages dans les fourrés, dehors.

— Elle descend ! avertit Henrietta, qui regardait par-dessus l'épaule de Lily. Je la sens !

— Vite !

Elles arrivèrent dans l'orangerie, ouvrirent les portes en verre à la volée, sortirent, et s'éloignèrent en courant. Dans la nuit, le jardin retourné à l'état sauvage se remplissait de formes bizarres et inquiétantes, qui ne redevenaient familières que quand on passait devant.

Lily se risqua à jeter un coup d'œil vers la maison, dont la masse sombre était éclairée ici et là par de petites lumières. Une ombre était en train de passer devant les fenêtres de la salle à manger.

— Elle est allée prévenir Maman. Elles vont nous suivre dans une minute. Plus vite !

Mais Georgie s'était arrêtée net avec un petit cri. Une silhouette se dressait devant eux.

Lily retint un hurlement. Comment Marten, ou même Maman, avait-elle pu se retrouver devant elles ?

La personne s'approcha, et Lily s'aperçut qu'elle était plus petite que Maman et Marten. Quant aux protubérances de chaque côté, elles étaient causées par deux gros sacs – le sien, et celui de Georgie.

Peter mit le bagage de Georgie dans les mains de sa propriétaire, émit un son étranglé, et agita la tête pour les inciter à se dépêcher. Il s'engagea dans un petit sentier qui courait entre les ajoncs.

— Est-ce vraiment le chemin le plus court ? demanda Georgie.

Mais Peter, qui était devant elle et lui tournait le dos, ne vit pas qu'elle l'interrogeait.

— Lily, nous nous enfonçons dans les buissons ! Ça ne peut pas être par là !

— Du calme ! Peter sait ce qu'il fait. Et je parierais que Maman ne connaît pas ce chemin. Il mène droit à la falaise. Je ne savais pas que Peter avait l'intention de venir nous aider, dit-elle, essoufflée, tout en courant derrière le garçon.

La traverse était si étroite qu'on aurait pu la prendre pour une piste de lapins, et les arbustes leur arrachaient les cheveux et déchiraient leurs robes.

— Il y a de la lumière dans l'orangerie ! Accélère, Lily ! s'exclama Georgie en prenant sa sœur par la main et en la tirant. Il ne faut surtout pas qu'elles nous rattrapent. Maman a dû deviner que nous avons découvert ses projets ; qui sait ce qu'elle ferait ?

— Elle ne peut pas risquer de vous perdre toutes les deux, fit remarquer Henrietta. Quel que soit son plan, visiblement, elle a besoin d'un enfant.

— Plutôt mourir !

Lily avait dit ces mots sans réfléchir, mais pendant qu'elle courait dans la végétation sans plus parler, elle se rendit compte que c'était vrai. Elle ne pouvait rien imaginer de pire qu'être ensorcelée comme Georgie l'avait été. Les jours, les semaines, les mois avaient coulé sur sa sœur comme de l'eau ; seuls en ressortaient ces moments sombres où elle comprenait confusément que quelque chose n'allait pas. Mais ces éclairs de lucidité n'avaient jamais duré, et elle avait dû aller de l'avant, seule, et sans mémoire.

Enfin, elles sortirent du bois d'ajoncs et débouchèrent sur le chemin qui descendait la falaise, et dont les larges marches de pierre avaient été taillées dans la roche par les premiers Powers ayant occupé Merrythought. Le hangar se trouvait en bas, à moitié enfoncé dans la falaise elle-même, pour protéger les embarcations contre les intempéries.

Au bout de quelques instants, les marches s'achevèrent, et ils atteignirent la jetée. Lily posa Henrietta, fouilla dans la poche de sa robe à la recherche de la clef, avec ses doigts soudain glissants et malhabiles, et fourragea dans la serrure. Enfin, elle parvint à ouvrir la porte en grand. Le craquement résonna de manière sinistre dans l'espace noir et plein d'eau derrière le battant.

— Je n'y vois rien... Où est la barque ? Nous aurions dû apporter une lanterne !

— Oh ! fit Georgie, embarrassée.

Elle marmonna quelque chose, et soudain, le hangar se remplit de reflets ondoyants et d'ombres : une douce lumière argentée émanait des mains de Georgie.

Peter eut un geste d'effroi, tandis que Lily soupirait avec admiration. C'était si joli, et si utile ! Peut-être Georgie pourrait-elle lui apprendre à en faire autant... Elle se rappela soudain qu'elles étaient pressées, et chercha des yeux la barque qu'elle avait vu le majordome utiliser la seule fois où il s'était absenté. Celle-ci était presque à ses pieds ; en son centre, une grosse flaque éclaboussait les bancs chaque fois que la mer faisait tanguer l'embarcation.

— Elle prend l'eau, constata Henrietta, maussade. Mais nous n'avons rien de mieux. Dépêchez-vous, j'entends des voix en haut de la falaise !

Lily détacha rapidement les cordes qui arrimaient la barque aux anneaux en métal de l'embarcadère, et Henrietta sauta sur un des sièges en bois. Elle perdit l'équilibre et glissa sur le côté avant d'y enfoncer ses griffes en gémissant.

Peter jeta le sac de Lily à l'intérieur, puis fit signe à Georgie d'y aller – de toute évidence, il n'osait pas la toucher.

Georgie monta dans la barque, en grimaçant lorsque l'eau pénétra dans ses chaussures, et Lily la suivit. Peter s'apprêtait à les pousser quand elle le saisit par la main.

— Tu ne veux vraiment pas venir ? S'il te plaît ?

Mais il secoua la tête, puis désigna le haut de la falaise et prit une mine colérique.

Les yeux de Lily se remplirent de larmes. Elle n'avait pas pleuré à l'idée de quitter son foyer, mais Peter avait été son seul ami pendant si longtemps !

— Alors cache-toi bien. Que personne ne sache que tu nous as aidées, surtout !

Peter hocha la tête, puis poussa la barque vers la porte tandis que Lily s'emparait des rames. Il grogna, désespéré et affolé, quand il vit qu'elle avait du mal à les placer dans les tolets. Il sauta alors derrière elles, s'enfonçant dans l'eau jusqu'à la poitrine, pour pousser l'embarcation un peu plus loin sur la mer ouverte.

— Heureusement que la mer est calme, chuchota Georgie en fixant avec effroi les vaguelettes autour d'elle.

— Merci ! chuchota Lily à Peter tout en immergeant enfin les rames dans l'eau. Je reviendrai te chercher. Un jour... J'espère...

Sa dernière vision de lui fut celle d'un garçon mouillé et solitaire, assez semblable à l'enfant petit et maigre dont elle avait fait la connaissance trois ans plus tôt. Il la salua de la main, puis se baissa pour se cacher sous le ponton, se fondant avec un pilier dans l'obscurité.

— Tu sais ramer ? s'étonna Georgie en voyant Lily s'évertuer à agiter les avirons.

— Non. Mais on avance, et c'est tout ce qui compte. Je me fiche de savoir où nous allons, pourvu que ce soit loin d'ici. Voyez-vous quelque chose sur le chemin ?

— Une lanterne, je crois, répondit Henrietta. Georgie, éteins cette lumière. Il vaut mieux qu'on ne nous aperçoive pas.

Georgie regarda ses mains, la mine soucieuse, puis se pencha par-dessus bord et les plongea dans l'eau. La lueur mourut peu à peu, les laissant seules dans la nuit noire, en pleine mer. Dans l'obscurité, le bruit de l'eau semblait plus fort : les vagues qui heurtaient la coque, les éclaboussures des rames que Lily essayait de manœuvrer...

— Je vois aussi des lumières de l'autre côté, fit remarquer Henrietta, qui avait grimpé sur le petit siège de proue et regardait droit devant. Ce doit être le village. Continue, Lily. Plus vite !

— Je fais de mon mieux ! Les rames ne veulent pas m'obéir...

— Attends, je vais t'aider.

Georgie se leva, en faisant bien attention de ne pas renverser la barque, et s'assit à côté de sa sœur pour prendre un des deux avirons. Serrée contre elle sur l'étroit banc de bois, Lily fut envahie par une joie soudaine. Elle ne se sentait pas le droit d'être aussi heureuse alors qu'elles étaient en danger... mais sa sœur était de nouveau avec elle, si proche qu'elle pouvait la toucher !

— Lily, fais attention ! Tu vas tout lâcher ! Nous devons synchroniser nos mouvements. Allez, on y va. Enfonce ta rame... Tire, tire, tire...

— Nous nous rapprochons du village, les informa Henrietta. *Ouh !*

— Que se passe-t-il ? s'inquiéta Lily, sans oser se retourner. Henrietta, que t'est-il arrivé ?

— La mer est en train de grossir, dit une petite voix, toussant et crachant. Une vague s'est écrasée à l'avant et m'a éclaboussée.

Il y eut un bruit de pattes : Henrietta revenait vers le centre du bateau. Lily cessa de se concentrer exclusivement sur ses mouvements rythmés et regarda autour d'elle. Il faisait toujours aussi sombre, mais ses yeux s'étaient habitués aux ténèbres, et elle distingua de grandes formes, dans des nuances de noir différent. En effet, les vagues prenaient de l'ampleur.

— Ce n'est pas naturel, affirma soudain Henrietta. Nous sommes parties avec une mer d'huile, ou presque, et maintenant regardez ! C'est votre mère qui a fait ça.

Sa voix avait pris un ton plaintif, et Lily se rendit compte que la petite chienne avait peur. Mais quelques secondes plus tard, Henrietta se faufila entre les deux filles, grimpa sur le banc face à elles, les pattes sur le rebord, et se mit à aboyer furieusement contre l'eau qui giclait sur elle et contre la magicienne hors de vue sur la plage.

Comme pour lui répondre, le vent commença à hurler, ce qui fit encore augmenter la houle. La barque se mit à tourner sur elle-même, à monter et à plonger soudainement.

— Range les rames ! cria Lily à sa sœur. Henrietta, descends, tu vas passer par-dessus bord !

Mais Henrietta, toujours perchée sur le côté, aboyait avec une telle rage qu'elle n'entendit pas la voix de Lily et ne remarqua pas l'eau qui tentait de l'emporter.

Défiant le vent, Lily se leva pour essayer de l'attraper, mais Georgie agrippa sa jupe.

— Lily, assieds-toi, les vagues vont te renverser !

— Je dois récupérer Henrietta !

— Laisse-moi au moins te tenir ! Je m'accrocherai au banc !

Elle saisit la cheville de Lily et la serra avec force, tout en marmonnant les paroles d'une formule qui n'avait pas l'air d'agir.

Lily tendit les bras et essaya d'attraper Henrietta, mais celle-ci choisit juste ce moment pour bondir de l'autre côté du banc et japper de plus belle face aux murs d'eau qui s'élevaient tout autour d'elles.

— Henrietta, reviens ! cria Lily.

Les larmes lui vinrent aux yeux. Elle plongea sur Henrietta, mais la barque s'inclina sur le côté, et elle se retrouva à moitié dans l'eau.

— Lily ! hurla Georgie.

Aidée par sa sœur, Lily parvint à reculer un peu. Elle n'y voyait plus rien, n'apercevait plus la petite chienne. Des larmes argentées roulèrent sur ses joues et tombèrent dans la mer.

Et brusquement, d'une seconde à l'autre, les vagues s'affaissèrent.

— Bravo, la félicita une voix admirative près de son épaule. L'as-tu fait exprès ?

Lily se redressa et vit les gros yeux d'Henrietta reluire dans l'obscurité. La petite chienne était saine et sauve.

— La tempête est terminée ?

Georgie, roulée en boule au fond de la barque, s'asseyait lentement.

— Comment as-tu fait ? J'ai bien essayé de contrecarrer le sort de Maman, mais je suis certaine que ce n'est pas grâce à moi qu'il a cessé.

— Elle a pleuré, expliqua tranquillement Henrietta. Quand ses larmes ont touché la mer, le maléfice de votre mère a été brisé. Tu es douée pour les contre-sorts, Lily.

— Oh, regardez, le vent nous a rapprochées de la terre !

Georgie avait tendu le doigt. Les ondes se brisaient sur une plage jonchée de rochers, et le courant les portait dans cette direction. Les deux filles restèrent assises, serrées l'une contre l'autre, grelottant dans leurs vêtements trempés, tandis que les vagues désormais amicales les poussaient vers l'avant. Enfin, il y eut un grattement prolongé contre la coque, et la barque s'arrêta sur le sable.

Lily bondit au-dehors sans se soucier de l'eau qui pénétrait dans ses bottines, et regarda autour d'elle. Les dernières lumières du village au-delà des dunes s'éteignaient, et l'obscurité était si dense qu'elle aurait presque pu la toucher. Elle entendit un *splash* ! quand Georgie descendit à son tour et barbota jusqu'à la terre ferme. Lily se pencha sur la barque.

— Je vais te porter, d'accord ? annonça-t-elle à Henrietta. L'eau m'arrive encore jusqu'aux mollets.

Pas de réponse.

— Henrietta ? Que se passe-t-il ? Je ne te lâcherai pas, promis ! Je sais que tu es déjà trempée, mais ce n'est pas la même chose que plonger dedans.

Il y eut un petit bruit de pattes. Henrietta s'approchait. Elle toucha la main de sa maîtresse avec son museau, et Lily caressa sa fourrure mouillée.

— Je ne suis pas sûre de pouvoir descendre.

— Comment ? Pourquoi ?

— J'appartiens à Merrythought, tu sais. Je suis liée à cette maison, à ce tableau. Cette barque vient de l'île. Mais si je descends sur la terre ferme...

Lily arrêta de la caresser, les yeux rivés sur le morceau de nuit encore plus noire qu'était Henrietta. Elle ne la connaissait que depuis un jour et demi à peine, mais elle ne pouvait pas imaginer vivre sans elle.

— Que... Que risque-t-il de t'arriver ? Tu pourrais retourner dans le tableau ? Pourquoi ne me l'as-tu pas dit ?

— Qu'est-ce que ça aurait changé ? Vous deviez partir. Et vous aviez besoin de mon aide, même si la seule chose que j'ai faite, c'est te faire pleurer au bon moment.

Lily passa ses bras autour du carlin, en faisant bien attention de ne pas le soulever.

— Ce n'est pas possible. Tu ne peux pas retourner là-bas. Je refuse !

— Je ne suis pas certaine que ça arrivera. Je ne sais pas, c'est tout.

Henrietta avait pris un ton détaché, comme si elle discutait de l'opportunité de boire une tasse de thé, mais Lily entendit le tremblement dans sa voix.

— Lily ! appela Georgie en revenant en arrière. Tu viens ? Crois-tu que nous devrions monter au village ? Il fait vraiment noir, je ne sais pas quoi faire. Je n'ai pas envie de rester ici, mais nous risquons de nous perdre...

— Je pense que nous devrions passer la nuit ici.

Lily ne pouvait pas supporter l'idée de sortir Henrietta du bateau dans le noir. Elle voulait la revoir au moins une fois encore à la lumière du jour.

— À l'aube, lui chuchota Henrietta à l'oreille.

— D'accord.

***

Quand Lily se réveilla, raide et transie, elle trouva une boule de fourrure noire enroulée sur ses genoux : Henrietta. Georgie était allongée près d'elle, la tête posée sur son sac trempé. La barque se balançait doucement au gré de la marée montante, et les premiers rayons du soleil striaient de jaune le ciel rose pâle. Elle regarda la plage. Le sable, qui avait la couleur des biscuits, s'achevait sur des dunes couvertes d'herbe, si différentes des falaises grises et escarpées de Merrythought qu'on aurait dit un autre monde. Comment deux endroits si opposés pouvaient-ils exister à moins d'une lieue l'un de l'autre ?

Lily avait si longtemps rêvé du monde hors de l'île que pour elle, il était presque imaginaire. À présent qu'elle le voyait, si clairement réel, elle craignait d'être au milieu d'un songe. Une enfant en train de grandir, sentant naître en

elle une magie qu'elle ne maîtrisait pas encore...
Elle-même semblait irréelle à ses propres yeux.

— Alors, on essaie ?

Henrietta s'était réveillée et se levait, enfonçant ses griffes dans la peau de Lily dans son agitation.

Lily acquiesça et se redressa, sans réveiller Georgie. Elle déplia ses jambes engourdies et descendit de la barque, frissonnant lorsque l'eau froide s'enroula autour de ses chevilles. Puis elle tendit les bras à Henrietta. La petite chienne ferma les yeux, et sauta.

Lily la serra très fort contre elle, debout dans l'eau, s'attendant à ce que ses bras redeviennent soudain vides. Mais rien ne se passa. Henrietta rouvrit les yeux, l'air légèrement étonné d'être toujours là.

— Oh ! tant mieux, dit-elle en secouant les oreilles avec soulagement. Peut-être est-ce parce que je suis en compagnie d'une fille née à Merrythought. (Elle lui lécha la joue.) On y va ?

6

— Lily, regarde ! Nous avons réussi. Nous
y sommes !

Georgie s'était assise et contemplait les alen-
tours avec ravissement. Elle descendit de la
barque et avança sur le sable, en tenant sa jupe
humide devant elle comme une robe de bal.

— Hier soir, il faisait trop sombre, et j'étais
si fatiguée ! Mais maintenant...

Elle se mit à rire comme une folle, à danser, à tournoyer sur la plage. Lily et Henrietta
échangèrent des regards surpris. Lily ne l'avait
pas vue ainsi depuis des années – elle avait
toujours été pâle et angoissée, terrifiée à
l'idée de n'être pas assez douée et de décevoir sa mère. Et voilà qu'elle virevoltait au son
d'une musique joyeuse qu'elle était la seule à
entendre, comme si elle avait été la plus jeune
des deux sœurs !

— Nous allons devoir veiller sur elle, chuchota Lily en suivant Georgie de loin.

La petite chienne approuva :

— Oui. Il va bien falloir que quelqu'un s'en charge. Regarde-la !

Georgie revenait vers eux en souriant, presque éblouie. Ses cheveux humides frisaient, comme la fronce en soie de certaines robes de Maman.

— Nous ne sommes pas belles à voir, fit remarquer Lily en baissant les yeux vers ses propres vêtements froissés et ses bottines tachées de sel. Nous devrions nous changer avant de nous mettre en route.

Georgie sembla revenir à la réalité.

— Les sacs aussi ont été arrosés, tu te rappelles ? Tout doit être mouillé. Je vais essayer de les faire sécher en route. Je me rappelle une formule que j'ai trouvée dans la bibliothèque, à l'intérieur d'un livre écrit à la main par une de nos arrière-grands-tantes. Il y avait plein de sortilèges pour la vie quotidienne : faire briller les meubles ou se débarrasser des fourmis dans la cuisine, par exemple. Maman l'avait trouvé ridicule, mais ça m'avait bien plu.

— D'accord. Alors on y va ?

Georgie se tourna pour regarder la barque, puis la tache grise à l'horizon : l'île à la lumière de l'aube.

— Allons-y.

— C'est étrange d'être ailleurs, n'est-ce pas ?

— Oui. Je ne sais plus ce qu'il faut faire, maintenant...

— Ce que vous devez faire, c'est attention, les avertit Henrietta. Si la magie est désormais illégale, évitez de vous faire remarquer. Prends garde de ne pas faire briller les vêtements en les séchant, par exemple.

— J'avais oublié, admit Georgie en ouvrant de grands yeux.

Elle sourit et ajouta sournoisement :

— Tu te rends compte que tu vas devoir garder le silence, dis ?

Henrietta eut l'air horrifiée pendant une seconde, puis elle lança un regard courroucé à Georgie.

— Bien sûr que je m'en rends compte.

Mais Lily était presque certaine qu'elle n'y avait pas pensé. Elle partit à grands pas pour distraire Henrietta avant que la chienne ne dise à sa sœur quelque chose d'impardonnable, ce dont elle la croyait tout à fait capable – et ça l'amuserait sans doute, en plus.

Un chemin suivait la plage et menait au village, qui commençait seulement à se réveiller. Les filles entendirent une femme chantonner en allumant le feu ; la fumée sortait en volutes de la cheminée. Lily avait envie de s'arrêter pour tout observer : c'était si bizarre ! Mais elle se secoua :

— Nous devrions nous dépêcher de partir d'ici. Les gens vont deviner d'où nous venons. Et Maman viendra sûrement bientôt nous chercher, donc il vaut mieux que personne ne nous voie.

— Elle pensera peut-être que vous vous êtes noyées toutes les deux, murmura Henrietta entre ses dents après avoir jeté un coup d'œil à droite et à gauche.

— Je crois qu'elle aurait essayé de nous sauver, non ? Elle a probablement pensé que Georgie nous tirerait d'affaire. Après tout, elle a besoin de nous – de l'une d'entre nous, au moins.

— Elle était peut-être trop en colère pour réfléchir, hasarda Georgie. En tout cas, provoquer une tempête a dû la vider de son énergie pendant quelques heures. Allons-y, vite. Par où va-t-on à Lacefield ?

Elles avaient dépassé les dernières maisons et débouché sur une route plus large, perpendiculaire au chemin suivi jusqu'ici.

— Regarde, il y a un panneau, constata Lily. Lacefield, à deux lieues, par ici.

Lily savait que les provisions du manoir provenaient de l'épicerie de Lacefield, et que pour venir à Merrythought, les visiteurs devaient arriver en train jusqu'à la gare qui s'y trouvait – même si en fait, les seuls qui leur rendaient visite étaient les Hommes de la reine, une fois par an. De là, le train traversait la campagne jusqu'à la gare de Paddington, dans la ville de Londres, où elles pourraient se cacher et chercher leur père.

— Restez sur le côté, murmura Henrietta. Comme ça, si quelqu'un approche, nous pourrons franchir la haie et nous cacher dans les champs.

— Mais que ferons-nous en arrivant à Lacefield ? s'inquiéta Georgie. Impossible de traverser la ville sans que personne nous voie. Et à la gare, il va falloir acheter des billets, et demander à quelle heure part le train. Quelqu'un risque de deviner que nous venons de Merrythought, non ?

— Saurais-tu réaliser un charme ? demanda Lily avec espoir.

Elle avait lu un livre sur les charmes, des sortilèges très compliqués qui permettaient de modifier la manière dont on était vu, et donc indirectement son apparence, en brouillant le lien entre les yeux et l'esprit des gens.

— Je crois que oui, mais seulement si j'avais le temps de me concentrer. Et j'aurais probablement besoin d'une amulette pour m'aider. Je n'ai rien emporté de tel : Maman aurait remarqué si j'avais pris quelque chose dans la bibliothèque. J'ai juste rassemblé quelques ingrédients de base, et les livres qui étaient dans ma chambre. Je les ai imperméabilisés, ajouta-t-elle fièrement.

Lily était sur le point de signaler qu'elle aurait pu imperméabiliser tous les bagages, pendant qu'elle y était, quand Henrietta lança un petit jappement étranglé et lui mordilla la cheville. Lily leva les yeux et vit avec horreur un vieux monsieur marcher à leur rencontre en conduisant par la bride un âne attelé à une carriole. Il était bien trop tard pour se cacher.

— Prends un air détaché, souffla-t-elle à Georgie, dont le visage s'était décomposé comme si on venait de la condamner à mort.

Georgie avala sa salive et hocha la tête. Elle plaqua un sourire forcé sur son visage, se redressa, et salua l'homme de la tête quand il passa avec son âne.

Lily sourit également, avec effort, certaine que l'inconnu allait les dévisager et leur demander d'où elles venaient. Elles n'avaient traversé jusqu'ici que des champs déserts et des petits bois : elles n'avaient vu aucune maison, et même aucun signe de vie en dehors de quelques moutons. L'homme était probablement un villageois qui retournait chez lui après être allé au marché de Lacefield. Il saurait qu'elles n'habitaient pas au village. De toute façon, leurs vêtements, aussi tachés, froissés et petits soient-ils (la robe de Lily avait été confectionnée pour une fille de deux ans de moins qu'elle), appartenaient de toute évidence à des demoiselles fortunées ; de même pour leurs bottines pleines d'eau. Les enfants du village n'avaient probablement pas de chaussures du tout, ni mouillées, ni sèches.

Mais l'homme se contenta de leur jeter un coup d'œil curieux, et de soulever poliment son chapeau pour les saluer :

— Bonjour, Miss, et vous aussi, Miss.

— Bonjour, lui répondirent-elles avec un sourire un peu plus naturel.

Et elles poursuivirent leur chemin, sans oser regarder en arrière pour voir s'il partait en courant avertir les gendarmes qu'il avait croisé deux dangereuses fuyardes. Henrietta le fit pour elles – après tout, ce n'était qu'un chien, aux yeux de l'homme :

— Il ne s'est même pas retourné une seule fois, chuchota-t-elle.

Paradoxalement, Lily se sentit presque offensée. Il aurait pu au moins s'intéresser à elles !

— C'est vrai que puisque nous n'avons jamais quitté l'île, il n'a pas pu nous reconnaître. Je me demande tout de même pour qui il nous a prises !

— Il doit se soucier davantage du prix auquel il a vendu ses légumes que de deux gamines dépenaillées...

Lily ouvrit la bouche pour protester, puis la referma en se rendant compte que l'adjectif n'était pas exagéré.

— Peut-être que nous n'avons pas besoin de nous inquiéter de ce qu'on pensera de nous à Lacefield. Peut-être que tout le monde s'en fiche.

— En revanche, personne ne se fichera de votre or, surtout s'il sort des mains de deux gueuses. Il va falloir vous arranger un peu avant de montrer vos richesses.

— Tu n'avais pas promis de te taire ? demanda aimablement Georgie.

— Personne ne peut m'entendre ! Arrête de perdre du temps, et concentre-toi un peu sur ces formules de bonne ménagère que tu te vantais de connaître. Débrouille-toi pour repasser ta robe, ainsi que celle de ta sœur ; et pour l'amour du ciel, fais quelque chose avec tes cheveux ! Enfin, au moins, ils sont propres, maintenant, ce qui n'était pas le cas quand je t'ai rencontrée.

Georgie rougit de colère, ce qui l'embellit beaucoup, remarqua Lily.

— On m'avait jeté un sort !

— Oui, oui, toujours des excuses...

— Puis-je t'aider à réaliser le sortilège ? demanda Lily pour interrompre la dispute.

Georgie, furieuse, commença par refuser, puis elle soupira et tourna ostensiblement le dos à Henrietta.

— Bon, d'accord. Nous avons besoin de quelque chose à lisser. De l'herbe, ça ira très bien. Ramasses-en une poignée.

Elle désignait le bord de la route. Lily arracha quelques brins, hésitante. En quoi cela allait-il les aider à ajuster leur tenue ?

— Froisse-les dans ta main. Personne ne vient ? Peut-être que nous ferions mieux de nous cacher derrière ces arbres. Je ne peux pas promettre que ça ne va pas émettre une lueur quelconque.

Il y avait un petit bosquet un peu plus loin. Elles se réfugièrent sous l'ombre des feuilles avec soulagement : malgré l'heure matinale, le soleil tapait déjà dur.

— Vas-y, étale-les sur mes genoux, ordonna Georgie en s'asseyant sur un tronc d'arbre couché. Écoute ce que je dis, et répète-le avec moi. J'espère que je me rappellerai correctement la formule...

Henrietta fit la moue, mais elle avait sauté sur le tronc et s'était assise à côté de Georgie pour regarder les brins d'herbe, curieuse.

Georgie fit passer les brins entre ses doigts tout en fredonnant tout bas une mélodie – Lily espéra qu'elle n'avait pas oublié les paroles. Enfin, elle se mit à scander doucement :

— *Les rubans glissent, les fils se tissent,*
Le lin se rouisse, la soie se lisse ;
Un ourlet, une éponge, un feu de cheminée,
Faites que ma tenue soit propre et ajustée.

Elle étira les brins d'herbe sur ses genoux, et regarda de travers Henrietta qui se penchait pour en prendre un dans sa gueule afin de le ranger à côté des autres.

— Toi aussi, Lily ! Dis-le avec moi !

Ensemble, elles répétèrent la formule jusqu'à ce que les brins d'herbe soient parfaitement droits et alignés. Henrietta examina alors les filles, et Lily s'aperçut que le collier de cuir rose du carlin, désormais impeccable, était orné de petits clous dorés qui, elle l'aurait juré, n'étaient pas là auparavant.

— Très impressionnant, les félicita la chienne. Levez-vous ! Oui, c'est beaucoup mieux. Même tes cheveux, Georgie.

Lily l'approuva. En effet, les cheveux de Georgie retombaient sur ses épaules en vagues blondes, et sa robe de mousseline jaune était impeccable, avec une dentelle aussi raide que si une femme de chambre venait de l'empeser. Lily baissa les yeux pour se voir elle-même, et eut un hoquet de surprise. Sa taille n'était plus douloureusement comprimée, alors qu'elle s'était habituée à cette sensation depuis des mois. Sa robe lui seyait désormais parfaitement.

— Tu l'as agrandie ! s'exclama-t-elle, pleine d'admiration.

— *Nous* l'avons agrandie, corrigea Georgie. Mes sortilèges réussissent beaucoup mieux quand tu te joins à moi, Lily. Regarde, même tes bottines sont cirées.

Lily tendit le pied pour admirer le cuir luisant. Ses chaussures étaient aussi belles que les bottes de l'uniforme de Mr Francis, qui avait fait partie des hussards, comme il aimait à le rappeler aux domestiques.

— Je pense que plus personne ne s'étonnera que nous ayons les moyens de payer notre billet de train. Nos sacs aussi sont en meilleur état. Il va juste falloir faire attention de rester propres jusqu'à la ville.

— Je suis passée par ici en voiture avec Arabel, dit Henrietta en ressortant du bosquet. Je reconnais le paysage. Ce n'est plus très loin.

Elle se remit à trotter sur la route et se retourna vers les filles, impatiente.

— Alors, vous venez ?

***

Lacefield n'était pas une grande ville. Mais aux yeux de deux enfants qui avaient été confinées dans une île toute leur vie, elle paraissait énorme, et très animée.

Lily glissa sa main dans celle de Georgie et ouvrit de grands yeux quand passa un beau carrosse tiré par deux superbes chevaux alezans. Un blason était dessiné sur la porte du véhicule – il devait appartenir à une famille importante vivant dans une grande maison. Les chevaux étaient vraiment gigantesques, remarqua Lily en reculant un peu sur le trottoir. Elle ne s'était pas attendue à ce qu'ils soient si grands. Mais comme ils brillaient, et comme les harnais tintaient joliment ! Elle était si excitée qu'elle avait envie de rire tout fort, et ne put s'empêcher de sautiller, juste un peu.

— Il va falloir demander où se trouve la gare, dit-elle.

Henrietta hocha très légèrement la tête. À présent qu'elles étaient entourées de monde, elle faisait de gros efforts pour être discrète.

— Nous pourrions nous adresser à lui.

Georgie désignait un garçon qui faisait semblant de balayer devant la porte d'une épicerie – en réalité, il utilisait davantage le balai pour s'appuyer dessus que pour nettoyer le sol. Elles s'approchèrent.

— Pourrais-tu nous dire où est la gare, s'il te plaît ? demanda Lily, aussi poliment que possible.

Il la dévisagea, bouche bée.

— Là où on peut prendre le train ? précisa Georgie en voyant que le silence s'éternisait.

Finalement, il hocha la tête et montra le bout de la rue.

— Au fond à gauche.

Elles suivirent ses indications. Au bout de quelques pas, Georgie commenta anxieusement :

— As-tu remarqué que toutes les femmes et les filles portent des chapeaux ? Et aussi des gants ? C'est peut-être pour ça qu'on nous regarde ainsi.

— Il nous suit des yeux, dit Lily, qui s'était retournée pour vérifier. J'ai l'impression qu'il ne lui arrive jamais rien d'intéressant, le pauvre.

— Non, ne le salue pas de la main ! Je suis presque certaine que ce n'est pas convenable.

— Il a rougi et il s'est remis à balayer, donc tu as peut-être raison. Nous avons beaucoup à apprendre, n'est-ce pas ? Pouvons-nous faire quelque chose au sujet des chapeaux ? Tu ne pourrais pas en fabriquer à partir de deux feuilles d'oseille, ou quelque chose de ce genre ?

— Ici ? Tu es folle ?

— Non, tu as raison. Tant pis, il va falloir s'en passer.

Mais maintenant que Georgie avait fait cette remarque, elles avaient l'impression que tout le monde les contemplait avec surprise. Elles pressèrent le pas, et Lily soupira :

— Je crois que ça me dérangerait moins si les gens chuchotaient dans notre dos parce qu'ils nous soupçonnaient d'être de dangereuses magiciennes. Mais faire toute une histoire au sujet de deux chapeaux, c'est ridicule !

— Dépêche-toi. Regarde, je vois la gare !

Georgie la tira par la main, mais Lily eut le temps d'entendre deux dames élégantes commenter :

— Seraient-ce les petites-filles de Mrs Enderby ? Cela ne me surprendrait pas. Cette femme n'a aucun sens de la bienséance.

— Je parie qu'elle me plairait... marmonna Lily.

Elles arrivèrent enfin devant un petit bâtiment en briques rouges et en fer forgé, et entrèrent. Georgie s'arrêta devant la porte, l'air égaré.

— Il faut acheter des billets, maintenant... J'ai lu dans le journal qu'on en avait besoin pour voyager. Ça a fait tout un scandale, car ils sont très chers.

Henrietta les dépassa et pénétra dans le hall, puis se tourna vers les filles et leur désigna d'un geste du museau un guichet derrière lequel un homme avec un képi et une grosse moustache les observait d'un air méfiant. Lily se dirigea vers lui d'un pas assuré :

— Nous voudrions aller à Londres, s'il vous plaît, déclara-t-elle en fouillant dans la poche de sa robe à la recherche de sa bourse.

— Ben voyons. Dix shillings, en première classe.

Il les regarda d'un air agacé, visiblement convaincu qu'elles allaient se mettre à rire et partir en courant. Aussi fut-il sidéré quand Lily sortit de sa poche un souverain en or et le lui tendit.

— À quelle heure part le prochain train, s'il vous plaît ?

— Dans... dans une demi-heure, balbutia-t-il en tirant sur sa moustache. Quai numéro un.

Il leur rendit une poignée de pièces et les regarda s'éloigner. Lily dut résister à l'envie de prendre ses jambes à son cou. Elle était certaine que l'homme allait les poursuivre en criant qu'elles avaient sûrement volé cet argent – ce qui était vrai, d'ailleurs.

Une fois sur le quai, elles se laissèrent tomber sur un banc en gloussant, et Henrietta aboya pour que Lily la prenne dans ses bras. Elle se blottit contre son épaule afin de pouvoir lui parler à l'oreille sans se faire remarquer.

— Combien d'argent avons-nous ?

— Vingt souverains. Ce n'est pas beaucoup, n'est-ce pas ? Je n'y ai pas réfléchi ; je ne pensais qu'à la manière de quitter l'île. Qu'allons-nous faire, à Londres ? Il va nous falloir de l'argent avant longtemps...

Georgie s'approcha de sa sœur pour participer à la conversation à voix basse :

— Une chose à la fois. Commençons par essayer d'y arriver. Je veux juste m'éloigner de Maman et de Merrythought autant que possible.

Lily hocha la tête. L'excitation liée à leur fugue était en train de se dissiper. La gare devenait de plus en plus encombrée ; sur le quai circulaient des voyageurs ainsi que le personnel de la gare, en uniforme noir. À chaque apparition d'un portier, le cœur de Lily bondissait dans sa poitrine, car elle croyait voir Marten dans sa robe de jais.

Georgie regardait nerveusement autour d'elle.

— Il suffisait à Maman de créer une autre barque. Ou d'envoyer Marten. Qui sait de quoi elle est capable ? Peut-être sait-elle marcher sur l'eau ? Si c'est une créature magique, elle peut faire n'importe quoi. Nous n'aurions pas dû passer la nuit sur la plage. Elle aurait pu nous y surprendre ! Nous aurions dû nous éloigner tout de suite.

— Dans le noir ? De toute façon, je ne crois pas qu'il y a des trains, la nuit. Nous n'aurions pas été plus en sécurité ailleurs.

— Peut-être...

Lily serra sa sœur dans ses bras. Henrietta avait raison : Georgie était fragile. Trop fragile pour une aventure comme celle-ci. Elle tremblait.

Bien vite, Georgie se dégagea.

— Regarde !

Une femme grande et mince dans une tenue de voyage d'un vert éclatant avançait sur le quai, en tête d'un groupe composé de quatre enfants, deux domestiques, et une énorme pile de bagages. Trois des enfants semblaient bien décidés à se jeter sur les rails, de préférence en emportant avec eux un gros perroquet dans une cage dorée.

Henrietta se raidit sur les genoux de Lily, comme si elle prenait la présence de l'oiseau pour une insulte personnelle. Le volatile n'eut besoin que d'un coup d'œil pour partager son sentiment, et lança une série de cris stridents qui se terminèrent par quelque chose comme : « Sale cabot ! »

Les trois garçons s'écroulèrent de rire, et l'un d'eux se roula même par terre, tout près du pied de Lily. Elle résista cependant à la tentation de lui donner un coup et caressa Henrietta tout en commentant : « Quelle affreuse bestiole ! », juste assez fort pour que l'oiseau l'entende. Il n'avait probablement aucune idée de ce que signifiaient ses paroles, mais tout de même !

La femme en costume vert vif et la fille qui l'accompagnait levèrent sur les deux sœurs deux nez remarquablement longs et similaires – elles devaient être mère et fille – puis échangèrent un sourire moqueur qui donna envie de hurler à Lily.

— Pourquoi nous regardent-elles comme ça ? demanda-t-elle à Georgie.

— Toujours à cause de cette histoire de chapeau, j'imagine. Regarde, on pourrait en faire trois, avec le sien !

En effet, celui de la femme était tellement couvert de dentelles, de fleurs et de feuilles, sans parler du voile qui y était accroché, qu'elle devait avoir mal au cou.

— Attends, je veux savoir ce qu'elles disent...

La jeune fille était en train de chuchoter, bien fort, dans l'intention évidente d'être entendue.

— Je crois qu'elles ne portent de corset ni l'une ni l'autre... ricanait-elle. Et on dirait bien qu'elles n'ont jamais entendu parler de tournures !

— Qu'est-ce qu'une tournure ? demanda Lily. C'est ce rembourrage qui lui fait un si gros derrière ?

— Chut, Lily, elle va t'entendre ! Oh, regarde ! Le train arrive !

En effet, sur les rails avançait lentement un engin qui ressemblait à un grand dragon noir et doré. Crachant de la vapeur et même des étincelles, il avait l'air entouré de nuages de fumée rougeoyante.

— Mais... je croyais que la magie était interdite ! s'exclama Lily, saisie d'effroi, s'attendant presque à voir un détachement d'Hommes de la reine survenir et arrêter tous les voyageurs.

— Ce n'est pas de la magie. Il avance grâce à des pistons, et des... des machins...

Malgré ses explications, Georgie s'était à moitié cachée derrière Lily et avait recommencé à mâchonner ses cheveux.

— On dirait vraiment de la magie, rétorqua Lily, enthousiaste. Je l'ai pris pour un dragon. Ne serait-ce pas merveilleux de voir un dragon un jour ?

— Non, murmura une petite voix près de son épaule.

Lily gratta les oreilles du carlin. Henrietta semblait troublée par ce spectacle, elle aussi, et ses yeux ressortaient encore plus que d'habitude.

— Départ pour Londres ! En voiture !

C'était l'homme du guichet, qui allait et venait sur le quai en secouant un drapeau. L'élégante famille au perroquet s'agitait dans tous les sens de peur d'avoir oublié quelque chose. Lily ramassa son sac et s'avança vers un des wagons beige et blanc, mais elle dut revenir sur ses pas pour faire lever Georgie, qui était restée pétrifiée sur le banc. Elle la tira à l'intérieur du train et la poussa dans un petit compartiment où sa sœur se laissa tomber sur un siège tapissé de velours. Georgie s'agrippa au cadre de la fenêtre, plus terrifiée que jamais quand l'énorme machine se mit à trembler, à cahoter, et enfin à avancer.

— Je n'aurais jamais cru que les trains étaient si grands !

Lily était restée dans le couloir avec Henrietta dans ses bras, et elle regardait la petite gare glisser devant elle. Henrietta haletait d'excitation, et sa queue en tire-bouchon frémissait.

— Comme ça va vite... murmura-t-elle.

Soudain, elle avança la tête avec un mouvement brusque.

— Oh ! Là !

Lily suivit son regard. Debout sur le quai se tenait une silhouette sombre et immobile, seule. Sa longue robe noire traînait sur le sol, recouverte d'un manteau noir, et son voile noir retombait devant un chapeau noir.

Marten.

Elles la regardèrent disparaître dans le lointain. Petit à petit, les battements de leurs cœurs se calmèrent et s'accordèrent au rythme des roues.

— Elle a raté le train, dit Henrietta. Nous avons eu de la chance.

— Mais maintenant, elle sait où nous allons, fit remarquer Lily, la joue toujours collée à la vitre froide.

Elle se redressa et jeta un coup d'œil dans le compartiment. Georgie était assise très droite au bord de son siège et se mordait les lèvres.

— Ne le lui disons pas, d'accord ? chuchota Lily à Henrietta.

La chienne approuva.

— Non, cela vaut mieux.

Elle descendit des bras de Lily et trotta dans le compartiment en incitant Lily à la suivre d'un signe de tête. Puis elle poussa la porte coulissante avec son derrière. Lily la hissa sur la banquette, où elle s'assit en regardant autour d'elle d'un air digne.

— J'espère que vous n'aurez pas la nausée, toutes les deux.

— Ça ne peut pas être pire que dans une barque en pleine tempête, lui signala Lily. En fait, je regrette de ne pas avoir acheté de sandwichs. Quelque chose me dit que Londres est encore loin, non ?

7

— Il y a tant de choses... dit Lily en regardant le paysage défiler par la fenêtre du comparti-ment. Je savais bien que Merrythought n'était qu'une petite île, mais je n'aurais jamais cru que le monde était si grand !

Georgie hocha la tête.

— Que de maisons... et que de gens !

Le train venait de s'arrêter dans la gare d'une autre ville, de taille moyenne.

— Londres est nettement plus grande que ça, vous savez, fit remarquer Henrietta, que leur effarement semblait beaucoup amuser.

— Oui, j'imagine... dit Lily.

Elle se renfonça sur la banquette rembourrée et se détourna de la vitre.

— Que ferons-nous quand nous y serons ? J'avoue que je n'y ai pas réfléchi. Je ne pensais qu'à m'éloigner de Maman...

— Il va falloir trouver un logement, répondit Georgie. Une chambre dans une pension, je suppose. Ensuite, nous essaierons de déterminer l'endroit où papa est emprisonné. Ses lettres viennent de Londres, mais ce n'est pas son écriture, sur les enveloppes. J'imagine que les Hommes de la reine les lisent avant de les faire suivre à Maman, ce qui veut dire qu'elles ont peut-être été tout d'abord envoyées à Londres, et que la prison est ailleurs... Mais c'est notre seule piste.

Elle poussa un grand soupir. Lily lui tapota l'épaule pour l'encourager.

— Ne fais pas cette tête, Georgie ! Nous devons être à cinquante lieues de la maison, au moins !

— Je sais ! C'est bien pour ça que je fais cette tête...

— Mais tu n'es pas tout excitée ? Comment peux-tu regretter Merrythought, maintenant que tu connais les projets de Maman ?

— Je ne sais pas, mais c'est le cas. Tout est trop grand, ici...

Henrietta ne dit rien, mais la dévisagea, soucieuse.

Lily vit la chienne adresser le même regard teinté d'inquiétude à sa sœur neuf heures plus tard, quand elles descendirent du train en fin d'après-midi à Paddington, en pleine cohue.

— Notre maison tout entière tiendrait là-dedans ! s'exclama Lily en admirant l'énorme gare.

Il faisait encore jour, mais des lampes à gaz rondes suspendues au toit voûté brillaient au-dessus d'elles comme une centaine de petites lunes. Il y avait même des pigeons qui volaient ici et là.

— Le journal disait que tous les trains qui vont au pays de Galles ou vers l'ouest partent de Paddington, murmura Georgie, les yeux si exorbités qu'on voyait le blanc tout autour de ses iris. C'est logique que ce soit immense. Mais tout de même...

Pétrifiées, elles restaient debout près de leur train, bousculées par la foule qui se pressait autour d'elles. Sur le quai d'en face, un autre convoi fumait, prêt à démarrer. Des passagers s'agglutinaient près des portes et se débattaient avec leurs bagages, tandis que des porteurs les suivaient avec des chariots contenant encore des malles et des sacs.

— Regarde, Lily, il y a un cochon, dans cette cage ! s'exclama Georgie.

— Le pauvre !

Lily s'approcha pour glisser un œil à travers les barreaux, et le cochon, qui avait l'air de s'ennuyer, exprima son irritation par des grognements sonores. Plusieurs voyageurs se retournèrent pour voir ce qui se passait. Lily prit un air détaché, comme si elle n'y était pour rien.

— Viens, dit Georgie en prenant les deux sacs. Tu as intérêt à porter Henrietta : quelqu'un risquerait de lui marcher dessus.

— Il s'en mordrait les doigts !

Henrietta lui lécha affectueusement la joue.

Les deux filles traversèrent la gare en s'efforçant d'éviter les porteurs, les vendeurs de journaux, et les retardataires qui couraient pour attraper leur train. Enfin, elles franchirent la grande arche et se retrouvèrent dans la rue.

— Bonté divine ! murmura Henrietta. Tous ces omnibus ! Oh, regarde, celui-ci va à Bloomsbury, c'est écrit sur le côté. Il y a beaucoup de pensions, là-bas – il y en avait autrefois, en tout cas. Montez, vite, avant qu'il ne s'en aille !

Deux énormes chevaux étaient attelés à une lourde voiture peinte en noir et rouge, sur le toit de laquelle s'entassaient des gens et des paquets. Un vieux monsieur était en train de monter à l'intérieur. Lily et Georgie coururent pour grimper juste derrière lui.

— Où allez-vous, Miss ? demanda un homme en haut-de-forme, une sacoche à la main.

— À Bloomsbury, répondit promptement Lily, même si elle n'avait aucune idée de ce que c'était.

Henrietta la récompensa de sa présence d'esprit par un petit coup de tête approbateur.

— Un penny chacune. Et ne lâchez pas votre chien, Miss ; normalement, nous n'acceptons pas les animaux, mais je vais faire une exception, d'accord ?

Lily le remercia et fouilla dans la bourse, en tâchant de ne pas montrer ses pièces d'or.

— Regarde ça ! murmura Georgie, les yeux rivés sur les autres véhicules et sur les passants à travers la fenêtre sale. Quand je pense que nous étions impressionnées par Lacefield !

— Ça me rappelle le nid de fourmis que j'avais trouvé dans le jardin. Et tu as vu tous ces magasins ?

L'omnibus avança quelque temps le long d'un énorme parc à l'intérieur duquel coulait une rivière, mais bientôt, il s'enfonça à nouveau dans les rues animées. Le conducteur lançait des insultes à ceux qui lui coupaient la route. Un petit garçon avec un chien traversa juste devant eux.

— Comment allons-nous vivre ici ? demanda Georgie, angoissée. Il y avait douze personnes à Merrythought : nous, et les domestiques. Alors que dans cette ville, il doit y en avoir des milliers, et même des millions !

— Je sais. N'est-ce pas merveilleux ? fit Lily, ravie.

Remarquant l'ahurissement de sa sœur, elle s'expliqua :

— Georgie, des millions de gens, et nous deux au milieu ! Aïe ! Je veux dire nous trois... se corrigea-t-elle quand Henrietta lui mordilla le poignet. On ne nous retrouvera jamais !

— Tu as sans doute raison. Tant que nous n'attirons pas l'attention...

Georgie prononça ces derniers mots en adressant un regard lourd de sens à Henrietta, qui leva le menton, hautaine.

— Bloomsbury ! annonça l'homme au chapeau haut de forme.

Les filles se levèrent, trébuchant sur la paille sale qui couvrait le sol. Elles sortirent, remercièrent l'homme poliment, et regardèrent l'omnibus s'éloigner dans la lumière du crépuscule.

Bloomsbury était un quartier nettement plus calme que ceux qu'elles venaient de traverser : il se composait de grandes maisons grises sagement alignées, leur tranquillité n'étant troublée qu'occasionnellement par le passage d'un carrosse.

— Regardez les fenêtres ! souffla Henrietta, arrachant les filles à leur contemplation. Cherchez une pension ! C'est pour ça que je vous ai fait venir ici...

— Oh, c'est vrai !

Lily pivota pour examiner la maison près de laquelle elles se tenaient, et vit qu'en effet une petite pancarte était collée au coin de la fenêtre : *Chambres à louer. Personnes respectables uniquement.*

— Est-ce que les pensions proposent aussi à manger ? demanda-t-elle avec espoir. Ça fait presque une journée entière que nous n'avons rien avalé...

— Je sais ! gémit Henrietta.

— Chut ! lui intima Georgie. Lily, crois-tu que nous soyons respectables ? Même sans

chapeau ? J'ai encore entendu le vieux monsieur dans l'omnibus marmonner quelque chose
à ce sujet, tout à l'heure.

— Peut-être sommes-nous juste excen-
triques ? suggéra Lily. Essayons.

Elle grimpa les marches et tira énergiquement
sur la corde. Elle entendit la sonnette retentir
dans la maison, mais personne n'accourut, donc
elle tira à nouveau, encore plus fort. Cette fois,
il y eut un bruit de pas rapides.

La femme qui leur ouvrit était brune et
dodue. Elle ressemblait un peu à Maman, en
dehors du fait qu'elle portait une blouse avec
d'énormes manches gigot gonflées comme un
ballon, et un tablier noué autour de la taille :
Maman n'avait probablement jamais porté un
tablier de sa vie.

Lily lui sourit et était sur le point de parler
quand la femme mit les mains sur les hanches
et rugit :

— Qu'est-ce qui vous prend de tirer sur la
cloche comme ça ? Heureusement qu'elle n'est
pas cassée ! Que voulez-vous ?

— Euh... une chambre, balbutia Lily, tout en
pensant qu'elle préférerait ne pas vivre sous le
même toit que cette mégère.

— Elles sont toutes occupées. Alors bon vent !

Et la grosse femme lui claqua la porte au nez, si fort que les carreaux de verre coloré vibrèrent.

Lily redescendit les marches, les joues brûlantes.

— Quelle malpolie ! Mais elles ne peuvent pas toutes être aussi horribles, sinon comment trouveraient-elles des pensionnaires ?

Elle se trompait. La deuxième personne à qui elles s'adressèrent les accusa d'être des fugueuses et menaça d'appeler la police. Dans la troisième maison, elles réussirent presque à franchir la porte d'entrée, mais la femme proprette qui les avait accueillies faillit avoir une crise cardiaque en découvrant Henrietta qui tournait autour des chevilles de Lily.

— On dirait qu'elle n'a jamais vu de chien, marmonna Lily en s'éloignant, furieuse. Tu n'es absolument pas sale, Henrietta ; ne crois pas ceux qui prétendent le contraire !

La pension suivante avait une apparence moins agréable que les précédentes. La pancarte à la fenêtre était cornée, et les rideaux de mousseline grisâtres. La sonnette ne fonctionnait pas, donc Lily tambourina à la porte. Elle était désormais d'humeur batailleuse, tout en étant fatiguée et affamée. Le soir tombait, et elle n'avait pas envie de se retrouver à la rue sans nulle part où dormir. Elles avaient vu plusieurs mendiants et clochards de toutes sortes au cours de leur trajet en omnibus, et la crainte d'aller grossir leurs rangs commençait à l'envahir. Certes, Lily avait été négligée pendant son enfance, mais elle avait toujours eu un lit, des vêtements chauds, et de la nourriture, même si celle-ci lui était le plus souvent fournie à des horaires irréguliers par une cuisinière maussade. Elle n'avait jamais eu réellement faim, contrairement aux gamins des rues faméliques qu'elle avait aperçus.

La porte s'ouvrit enfin, et une vieille femme apparut. Elle leur adressa un grand sourire édenté, que Lily lui rendit, quoique hésitante. C'était l'accueil le plus favorable qu'on leur avait fait jusqu'ici, mais la vieille lui rappelait les illustrations d'un vieux recueil de contes qu'elle avait trouvé dans la chambre rose de Merrythought. Si cette femme lui avait offert une pomme, elle ne se serait pas risquée à mordre dedans, malgré sa faim.

— Avez-vous... Avez-vous des chambres disponibles ?

— Bien sûr, bien sûr ! Entrez donc, Miss. C'est votre sœur ? Et quel joli petit chien ! Venez, venez.

La voix de la femme était assez inintelligible ; probablement à cause de son absence de dents, se dit Lily. Elle fit signe à Georgie et Henrietta qui attendaient en bas des marches – après leurs premières tentatives, elles n'avaient plus pris la peine de monter jusqu'à la porte.

— Ce n'est pas très propre, murmura Georgie en entrant dans la maison.

En effet, les murs puaient le poisson frit et la litière de chat, et leurs chaussures collaient au plancher poisseux dans l'entrée. Henrietta éternua, et jeta un regard dubitatif à Lily.

— Comme il est mignon ! fit la femme en se baissant pour caresser la tête du carlin.

Mais Henrietta bondit en arrière et se cacha derrière Lily avec un léger grognement. Lily dut avouer qu'elle la comprenait : du châle de la femme émanait une horrible odeur douceâtre, et à présent qu'elle était si proche, on pouvait distinguer la crasse accumulée dans les rides de son cou.

— Je suis désolée, elle est timide, expliqua Lily quand le grognement s'amplifia.

— Pas grave, pas grave. Alors, chères petites, j'espère que vous ne m'en voudrez pas de poser la question, mais vous êtes si jeunes... Avez-vous de quoi payer le loyer ?

— Oh, oui, répondit Lily en portant inconsciemment sa main à la poche de sa robe.

Les yeux de la femme suivirent son geste, et elle sourit, ou plutôt ricana, les yeux étincelants.

— Non, pas ici. C'est trop sale, et c'est une voleuse.

— Sale ! Quel culot ! Qui a dit ça ? cria la femme, scandalisée, en regardant tour à tour les deux filles.

— Oh, je suis désolée ! C'est ma sœur, elle est un peu... simple, expliqua Lily en reculant. Excusez-nous, mais je crois que, finalement, cet endroit ne nous conviendra pas. Nous, euh... nous préférerions un logement plus près de la gare. Pardon de vous avoir dérangée.

Elle tourna les talons, ramassa Henrietta, et courut vers la porte, évitant de peu les griffes de la femme qui se tendaient vers elle. Les cris de rage les suivirent dans le couloir, si chargés de gin que l'odeur arrivait jusqu'à elles.

Georgie réussit à ouvrir la porte, et elles prirent leurs jambes à leur cou, parcourant les rues jusqu'à ce qu'elles n'entendent plus les cris. Enfin, Lily se cacha sous une porte cochère, haletante.

— Je croyais que nous nous étions mises d'accord pour être discrètes, pour cacher notre magie, et pour que tu te TAISES ! rugit Georgie à Henrietta.

La petite chienne eut la décence de prendre un air coupable, mais se défendit :

— C'était une voleuse. Elle vous aurait pris votre argent pendant votre sommeil, et vous aurait peut-être empoisonnées. C'était aussi une ivrogne, et une sorcière.

— Impossible ! se récria Lily. La magie est interdite !

— Et pourtant, tu la pratiques bien, toi, et ta sœur aussi ! Crois-tu que vous soyez les seules à cacher vos pouvoirs ? Cette femme nous a même jeté un sort pendant que nous nous enfuyions, mais elle était tellement saoule qu'il ne nous a pas touchées.

— Ah, dit platement Lily.

— Il fait nuit, gémit Georgie. Où sommes-nous ?

— Ce gros bâtiment avec des colonnes, là-bas, c'est le British Museum. J'y suis allée souvent avec Arabel. L'institutrice des filles y tenait beaucoup ; elle trouvait ça très instructif. Même s'il y avait certaines statues qu'elle refusait de les laisser voir.

— Est-il encore ouvert ? Je vois de la lumière. Peut-être pourrions-nous y entrer et réfléchir à ce que nous allons faire ensuite...

Elle ne voulait pas admettre que l'obscurité lui paraissait menaçante, bien pire à la ville que sur l'île, malgré les lampes à gaz qui brillaient ici et là.

Elles traversèrent la cour sombre, montèrent les marches, et dépassèrent les grosses colonnes de pierre pour disparaître à l'intérieur du bâtiment.

— On dirait un palais ! murmura Lily en regardant le haut plafond à caissons et les statues imposantes qui les observaient du haut du fronton.

Elle s'était souvent représenté la résidence de la reine Sophia comme un endroit aussi riche et austère que celui-ci. Un vieux monsieur lisait une inscription sur une tablette en pierre, mais en dehors de lui et des gardes en uniforme, le grand hall d'entrée était vide.

Georgie se dirigea vers un des murs rouges où étaient peintes des petites mains pointant vers les différents départements.

— Pièces et médailles, galerie zoologique, antiquités égyptiennes, antiquités romaines, marbres d'Elgin... collection d'objets prohibés ?

— Allons voir ça. Vite : ce garde nous regarde, là-bas. Je ne suis pas sûre que les chiens soient admis.

Lily se hâta de rejoindre le couloir, Henrietta sur les talons.

De toute évidence, le musée avait honte de sa collection d'objets prohibés, quels qu'ils soient. Les couloirs se firent de plus en plus étroits, de plus en plus sombres, et quand les visiteuses arrivèrent enfin dans l'exposition promise, elles la trouvèrent poussiéreuse et mal éclairée – à tel point qu'elles se sentirent presque chez elles.

Une pancarte accrochée au linteau de la porte annonçait : *Legs de Lady Amaranth Sowerby*. La pièce était pleine de vitrines, d'étagères et de socles où étaient entassés des grimoires et toutes sortes d'objets magiques.

— Cette Lady Amaranth a dû faire don d'une grosse somme au musée pour que les conservateurs acceptent d'exposer tout ça, devina Henrietta. Je comprends mieux pourquoi la salle était si difficile à trouver.

— Regarde, Lily, nous en avons un à la maison ! Mais le nôtre est plus grand.

Georgie désignait un récipient en verre, décoré de signes cabalistiques bleus et dorés.

— Ah bon ? Oh, tu veux dire le gros pot de fleurs, au premier étage ? (Lily se pencha pour lire l'étiquette.) Apparemment, ça sert à faire infuser la fumée d'esprits infernaux dans de l'eau...

— C'est absurde ! Pour quoi faire ?

— Pour signer un pacte avec des créatures démoniaques. C'est ce qui est marqué ici. Avec l'eau infusée, on dessine sur le sol une étoile à cinq branches, et la créature venue de l'enfer se retrouve prisonnière. (Elle rit.) Je n'ai jamais rien lu d'aussi ridicule !

— Même Maman ne s'amuserait pas à invoquer une créature infernale !

— Votre mère *est* une créature infernale, dit Henrietta de l'autre bout de la salle, où elle flairait un manteau brodé, porté par un mannequin dont le visage avait été maquillé au point de le faire ressembler à une sorte de clown effrayant.

— C'est n'importe quoi, marmonna Georgie en se promenant entre les vitrines. Regarde, ceci n'est pas du tout une mandragore ! Ça se voit tout de suite qu'on a collé ensemble des morceaux de racines...

Elle se pencha pour lire la pancarte, pâlit, et recula, horrifiée.

— C'est abominable ! Comment peuvent-ils croire... Non, Lily, ne lis pas ça !

— Je n'en ai pas besoin ; j'en ai lu d'autres. Oh, Georgie, c'est comme ça que tout le monde nous voit ? On nous prend pour des assassins qui tuent les enfants et boivent leur sang ?

— Pour être honnête, c'est déjà arrivé, ou presque, dit Henrietta en se frottant contre sa jambe, comme pour s'excuser. Tu regardais le bol de Mrs Sparrow, non ? C'était une lointaine parente à vous. La mère d'Arabel était aux cent coups quand l'affaire a éclaté. Mais Alethea Sparrow était folle à lier ! Une magicienne très douée, sans le moindre doute, mais complètement marteau. À en croire cette exposition, tous les magiciens passaient leur temps à invoquer des esprits maléfiques pour attaquer des innocents...

— Mais peut-être qu'en effet tout le monde le croit, murmura Lily en caressant des doigts les arabesques du vase, qui la picotèrent agréablement. Je n'avais jamais réalisé qu'on nous voyait comme ça. À la maison, les domestiques avaient peur de Maman, mais c'était normal :

nous aussi ! Avaient-ils également peur de nous ?

— Je ne sais pas, répondit Georgie. Nous avions une bonne d'enfants, il y a longtemps, mais après son départ, j'ai commencé à passer tout mon temps avec Maman. Je n'ai jamais beaucoup eu l'occasion de parler aux serviteurs.

— Je suis sûre que non. Martha me donnait toujours des biscuits, et Violette essayait de m'apprendre à écrire correctement. Et si Peter avait eu peur, pourquoi nous aurait-il aidées à nous enfuir ?

— Peut-être qu'il avait trop peur pour ne pas le faire. Peut-être qu'il pensait que tu le désintégrerais s'il ne faisait pas ce que nous lui demandions... Oh, non, Lily, j'ai tort, se corrigea-t-elle hâtivement en voyant le visage de sa sœur se décomposer. Il s'inquiétait pour toi. D'ailleurs, personne ne lui avait demandé de nous attendre dans le jardin, la nuit dernière, n'est-ce pas ? Maintenant que j'y pense, la plupart de nos gens vivaient à Merrythought depuis des années. Ils ont dû s'habituer à nous, comprendre que nous étions de vraies personnes, et non les ogres décrits sur ces pancartes.

— Tous ceux qui n'ont pas eu l'occasion de côtoyer des magiciens nous prennent donc pour des monstres ?

Son rêve de restaurer la magie en Angleterre lui paraissait soudain plus irréaliste que jamais.

— Et pour des assassins, compléta Henrietta. Des régicides, même : c'est un magicien qui a tué le roi, tu te rappelles ? Si vous voulez mon avis, c'est surtout pour l'argent que vos gens restaient à Merrythought. Ils étaient bien payés, et je parie que quand les inspecteurs dont tu m'as parlé venaient vous rendre visite, ils avaient droit à une petite prime...

Georgie hocha la tête, mais Lily dut ravaler ses larmes. Elle avait cru qu'ils l'aimaient bien. Au moins un peu.

Un petit nez humide caressa sa main.

— Mais n'oublie pas Peter, Lily. Je l'ai regardé pendant que nous nous éloignions. Ses yeux brillaient dans la pénombre, et ils sont restés posés sur toi jusqu'à ce que nous soyons hors de vue.

8

— J'entends une sonnerie, annonça anxieusement Georgie. Le musée va fermer. Qu'allons-nous faire ?

Lily s'assit dans un coin, sur un socle où était exposé un trépied qu'elle soupçonnait fort d'être un banal support à pot de fleurs, et non un engin permettant de conjurer un feu infernal, comme le prétendait l'étiquette.

— Nous n'avons qu'à rester ici. Regarde toute cette poussière. Je doute que quelqu'un vienne vérifier. Et même si c'était le cas, il y a plein de cachettes possibles. Demain, nous pourrons recommencer à chercher un logement.

Elle soupira. Cette idée la démoralisait.

— Tout à l'heure, demanda Henrietta à Georgie, quand tu as déclaré que tu ne pourrais pas réaliser un charme en plein milieu de la rue, voulais-tu dire que tu pourrais y arriver dans une pièce tranquille comme celle-ci ?

Georgie fronça les sourcils.

— J'en ai déjà fait. Minimes, bien sûr. Mais je connais le principe.

— Dans ce cas, je suggère que demain, avant de repartir faire le tour des pensions, vous vous transformiez. Prenez l'apparence de deux vieilles dames, par exemple. Personne ne songerait à accuser deux vieilles dames d'être en fugue. Vous trouveriez peut-être une chambre plus aisément.

— Puis-je t'aider, pour que ce soit plus facile ? proposa Lily. Le sortilège pour nous rendre plus présentables a bien réussi, pas vrai ? Apprends-moi à faire un charme, Georgie, je t'en prie !

— Nous pouvons toujours essayer. Mais la dernière fois, je n'ai fait que changer la couleur de mes chaussures, et ça a suffi pour me donner une migraine terrible. Nous vieillir toutes les deux pourrait me tuer !

Henrietta leva les yeux au ciel, et Georgie se renfrogna.

— Bon, bon, d'accord ! Mais si ça tourne mal, rappelle-toi que c'était ton idée !

Elle attrapa Lily par la main et la tira avec humeur dans un coin de la salle où elle s'assit par terre.

— Ça va te prendre beaucoup d'énergie, Lily. Il faut que tu utilises tous tes pouvoirs. Te rappelles-tu ce que tu as ressenti quand tu as tiré Henrietta du tableau ? Ce doit être le sortilège le plus important que tu aies fait jusqu'ici.

— Mais je ne l'ai pas fait exprès ! C'est arrivé tout seul, grâce à Henrietta, pas à moi.

— Certainement pas ! protesta la chienne.

Elle vint s'asseoir devant elles, la langue un peu pendante, ce qui lui donnait l'air à la fois très sérieuse et un peu ridicule.

— C'est toi qui m'as fait venir. Je n'ai aucun pouvoir surnaturel. Je m'y connais en magie, parce que j'ai vécu avec Arabel. Mais c'est toi, toute seule, qui m'as fait sortir du tableau, et c'est grâce à toi que je peux parler – tu voulais quelqu'un avec qui discuter, tu te rappelles ?

— C'est vrai, tu ne l'as pas fait exprès ? s'étonna Georgie en dévisageant Lily.

— Non !

Lily avait envie de pleurer. Était-elle donc complètement inutile, en fin de compte ?

— Hum. De la magie inconsciente... La plus puissante de toutes. (Georgie eut un rire un peu amer.) On dirait que Maman a enfin obtenu ce qu'elle voulait. C'est toi qu'elle essayait d'avoir, Lily. Un talent naturel.

— Ne sois pas fâchée contre moi !

Georgie lui serra la main.

— Je ne le suis pas. Nerveuse, tout au plus. Il doit y avoir tant de magie en toi, Lily. J'ai juste peur que tu ne la laisses échapper malencontreusement.

— Comment ça ? Quel est le danger ? demanda Lily, la poitrine oppressée.

Georgie haussa les épaules.

— Aucune idée ! Bon, en tout cas, nous devrions réussir à réaliser un charme.

Elle prit les mains de Lily et s'assit, les yeux fermés. Elle respirait lentement et se mordillait la lèvre inférieure. Henrietta se blottit contre Lily et découvrit ses crocs en un étrange sourire baroque.

— J'aime sentir la magie. Ça bourdonne...

Lily attendit, un peu nerveuse. Elle ignorait comment les charmes agissaient, et surtout, elle n'était pas certaine de vouloir changer de tête.

Georgie rouvrit les yeux.

— Lily ! Tu bloques le sortilège. Arrête !

— Oh ! Je ne l'ai pas fait exprès...

Lily s'efforça de dissiper ses craintes et de laisser la magie opérer. Elle sentait à présent l'énergie de Georgie s'emparer d'elle ; cela lui donnait la chair de poule, et faisait dresser les petits poils sur son bras.

— Lily, respire ! grogna Henrietta.

Elle sursauta. En effet, elle avait bloqué son souffle. Elle prit une inspiration, goulûment, et soudain, la magie de Georgie l'envahit comme si elle l'avait avalée en même temps que l'air. Les yeux écarquillés, elle sentit sa propre magie bondir à la rencontre de celle de sa sœur. Quand elle avait contribué à arranger leur tenue, elle avait éprouvé une drôle de sensation, un peu comme un picotement causé par des myriades d'aiguilles ; mais cette fois, c'était différent – puissant, tangible, merveilleux.

Georgie s'était mise à psalmodier, mais Lily entendait à peine les mots qu'elle prononçait, tant elle était absorbée par la danse tourbillonnante de la magie dans ses veines. Puis elle ressentit un fourmillement presque douloureux, et sa peau ondula sur ses os. Fascinée, elle tendit les doigts, et constata que ce n'étaient plus les siens. C'étaient des doigts de vieille dame, osseux et noueux, à moitié cachés par des mitaines en dentelle démodées. Lily demeura un moment immobile, puis les leva jusqu'à son visage pour palper la chair tombante de ses joues et les plis sous son menton.

Henrietta, bouche bée, les dévisageait tour à tour.

— Si vite ! Et si réussi ! Même les vêtements sont parfaits. Ce petit châle croisé sur ta poitrine, Lily... Et ce camée ! Georgie, tu ressembles à la grand-mère d'Arabel, c'en est presque dérangeant. Elle n'aimait pas les chiens...

Georgie souriait, toute fière – une expression étrange sur le visage d'une femme de soixante-dix ans.

— Alors, Lily ? Si tu étais une logeuse, est-ce que tu nous louerais des chambres, maintenant ? demanda-t-elle d'une voix pointue et chevrotante, et pourtant reconnaissable.

Lily frissonna, mais hocha la tête sans hésiter.

— Combien de temps le sortilège va-t-il durer ?

Le visage ridé de Georgie grimaça, comme si elle avait mal.

— Je dois me concentrer sans arrêt, expliqua-t-elle. Il faut le maintenir constamment, dans un coin de son cerveau, pour qu'il demeure actif. Si je m'endors, ça s'arrêtera.

— Tu ne peux pas rester éveillée toute la nuit. Pas après avoir déjà si peu et si mal dormi la nuit dernière. Maintenant que nous savons que tu en es capable, nous pouvons arrêter, et nous recommencerons demain matin.

Georgie la considéra d'un air de regret, comme un peintre à qui on aurait demandé d'abîmer son chef-d'œuvre.

— Tu es sûre que tu pourras m'aider à le refaire demain ?

— Oui, je crois.

Lily ferma les yeux et chercha l'énergie en elle. C'était une sensation tellement particulière ! Elle comprenait à présent que cette magie avait toujours été là, sans qu'elle en ait conscience. À présent qu'elle la reconnaissait, ce n'était pas difficile de la retrouver ; elle pouvait à volonté la laisser affluer dans ses yeux, sa bouche, ses doigts. Lily rit de plaisir en la sentant pétiller en elle.

— Lily ! siffla Henrietta. Arrête, tu scintilles !

— Oh ! Je ne m'étais pas rendu compte que ça se voyait de l'extérieur...

Elle examina à nouveau ses doigts, qui étaient redevenus ceux d'une enfant, mais qui rayonnaient. Elle les tourna de tous côtés pour les admirer. Comme c'était agréable !

— C'est dangereux ? s'inquiéta-t-elle.

— Non, mais ce n'est pas très discret. Et puis c'est trop bizarre. Je n'aime pas ça. Arrête.

— J'ai dû me rappeler le sortilège que Georgie a utilisé la nuit dernière, quand nous avons eu besoin de lumière.

— Sauf que le mien était beaucoup moins... extravagant, objecta Georgie. Ça ne te fatigue pas ?

— Oh, non ! C'est merveilleux.

Elle secoua les mains pour interrompre le sort, et les éclats de lumière s'éparpillèrent dans la pièce comme des flocons. Lily vit quelques étincelles se poser sur un gros crocodile empaillé, accroché au plafond par des chaînes. Il était vieux et miteux, les écailles à moitié détachées, mais quand la lumière le toucha, une secousse le parcourut, et ses muscles, décomposés depuis longtemps, frémirent sous sa peau avant qu'il ne se renfonce dans le sommeil. Lily regarda nerveusement ses doigts.

— Nous devrions dormir, décréta Henrietta. Je ne suis pas habituée à toutes ces émotions. Va chercher ces vieilles tuniques au fond de la salle, Lily, et entasse-les dans ce coin, hors de vue de la porte, même si je doute qu'on vienne ici – à part peut-être pour éteindre les lampes, et encore.

Lily se leva. Avant cette vague de magie, elle avait été affamée, mais à présent, son estomac vide ne lui causait plus qu'une légère irritation, étouffée par l'émotion qui perdurait en elle. Elle ôta les lourds vêtements brodés des mannequins, en soulevant des nuages de poussière qui la firent éternuer ; Georgie, quant à elle, prit une pincée de poudre jaune dans un petit pot en terre cuite et la saupoudra autour de leur cachette en chuchotant des formules destinées à les protéger des regards indiscrets.

Puis elles s'allongèrent sur ce matelas de fortune en velours élimé. Elles se sentaient en sécurité, ainsi entourées d'objets familiers. Elles s'endormirent.

***

La lumière filtrait lentement à travers les fenêtres petites et hautes. Quand les deux filles se réveillèrent, assez tard, elles découvrirent une Henrietta maussade assise devant elles.

— Je rêve, ou tu m'as griffée ? demanda Lily en se frottant le pied.

Henrietta ignora majestueusement la question, mais planta ses yeux accusateurs dans ceux de sa maîtresse.

— Quand on possède un chien, il faut savoir certaines choses. Par exemple, l'importance des repas à des horaires réguliers. Je n'ai mangé que six biscuits au cours des soixante dernières années – rassis, en plus. Nous devons trouver de quoi nous nourrir. Vous en avez besoin aussi, je parie.

— Je t'ai donné la moitié de ce que m'a apporté Martha le soir où nous nous sommes enfuies ! protesta Lily.

Mais elle n'avait pas eu grand-chose à partager. Et maintenant qu'elle y pensait, elle se rendait compte que la magie qui lui avait fait oublier sa faim la veille avait disparu, et qu'elle tombait d'inanition.

Georgie n'avait pas l'air de s'en soucier autant. Elle était en train de se peigner avec les doigts en chantonnant, et plus elle chantonnait, plus ses cheveux devenaient soyeux et brillants.

— C'est ta faute, murmura Lily à Henrietta. Elle s'en fichait complètement, avant.

— Tant mieux. Il est bon de prendre soin de son pelage. Mais aujourd'hui, ça ne sert à rien, poursuivit-elle en mordillant la manche de

Georgie. Rappelle-toi le charme ! C'est très joli, mais personne ne s'en rendra compte.

— Je sais. Mais moi, je le saurai. C'est un peu comme porter son plus beau jupon, non ?

Lily fit la moue. Elle n'avait que deux jupons, et aucun des deux ne méritait d'être qualifié de « beau ». Georgie comprit sa bévue, car elle rougit et embrassa sa sœur.

— Allez, transformons-nous, et cherchons quelque chose à manger. Moi aussi, j'ai faim. Mais je suis habituée : Maman prenait son petit déjeuner au lit, donc je ne mangeais jamais rien avant midi. Donne-moi tes mains.

— Rangeons ces vêtements, d'abord. Il me semble que j'étais plus petite en tant que vieille dame ; je ne suis pas certaine que je pourrais les remettre en place, après. Croyez-vous que quelqu'un risque de remarquer qu'ils sont un peu froissés ? (Elle secoua une écharpe rouge et dorée, jeta un coup d'œil à la salle poussiéreuse, et sourit tristement.) Non, sûrement pas.

Georgie dispersa la poudre jaune qu'elle avait disposée en cercle, puis elles se mirent au milieu de la salle, en se tenant par les mains, pour réaliser le charme. Cette fois, Lily chercha avec plaisir la magie en elle, et essaya de se rappeler la formule que Georgie avait prononcée la veille au soir. Il y eut de nouveau le fourmillement, l'ondulation sur la peau, et elle se retrouva encore une fois face à une vieille femme recourbée.

— Parfait, dit Henrietta. Maintenant, allons manger, s'il vous plaît. Il est certainement assez tard pour que le musée soit ouvert, non ?

— Si... Mais les gardes ne vont-ils pas remarquer qu'ils ne nous ont pas vues entrer ?

— Il y a peu de chances pour que deux vieilles dames respectables aient passé la nuit dans le musée, n'est-ce pas ? Ils penseront que vous êtes entrées à un moment où ils avaient le dos tourné.

Lily ouvrit la porte de la salle et jeta un œil dehors. Il n'y avait personne, donc elles partirent dans le couloir, en s'obligeant à marcher lentement au lieu de courir comme elles l'auraient voulu.

Enfin, elles émergèrent dans le hall d'entrée. Georgie prit la tête du petit groupe et traversa le sol en marbre d'une démarche digne. Elle s'était coiffée d'un chapeau particulièrement impressionnant, pour se donner de l'assurance, et munie d'une ombrelle à rubans que Lily reconnut : c'était celle qu'avait arborée la dame dans la gare de Lacefield. La dentelle sur son front se balançait gravement tandis qu'elle avançait vers la porte en ignorant les deux gardes qui les regardaient, étonnés.

— Madame ?

Georgie avait déjà une main sur la poignée, et elle jeta un coup d'œil désespéré à Lily, hésitant clairement à se mettre à courir. Lily lui adressa un regard sévère et se tourna avec un sourire vers l'homme qui s'approchait.

— Y a-t-il un problème ?

Le garde ôta son képi, et le sourire de Lily s'accentua. Elle avait imité le ton de voix de Maman.

— C'est juste que nous ne vous avons pas vues entrer, Madame...

— Et pourtant, il faut croire que nous l'avons fait, n'est-ce pas ? rétorqua-t-elle en haussant les sourcils.

— Ça ne fait que dix minutes que le musée est ouvert...

Lily jeta un coup d'œil accusateur à Henrietta, puis hocha la tête.

— Je sais. Ma sœur et moi voulions voir les... euh...

— ... scarabées ! compléta hâtivement Georgie, qui rougit. Oui. Nous nous intéressons aux scarabées...

Sa voix s'éteignit, car Lily avait levé les yeux au ciel. Celle-ci enchaîna :

— Mais comme vous n'en avez pas, nous partons.

Elle était déjà prête à s'enfuir, mais miraculeusement, le garde acquiesça.

— C'est vrai, Madame. Les scarabées ont été déplacés. Ça fait neuf ans qu'ils sont au Muséum d'histoire naturelle.

— Oh, vraiment ? demanda Lily, soulagée. En effet, ça fait quelques années que nous n'étions pas venues à Londres... Nous vous sommes très reconnaissantes de votre aide. Viens, Georgiana.

Et elle poussa dehors Henrietta et Georgie avant que cette dernière ne cède à son hilarité.

— Des scarabées ? À quoi pensais-tu ? souffla-t-elle tandis qu'elles descendaient les marches.

— À rien ! s'étrangla Georgie, riant toujours. Je savais qu'il fallait dire quelque chose, et je ne trouvais aucune idée. C'est la première chose qui m'est venue à l'esprit. Et j'ai bien fait, finalement !

— Tu veux dire que nous avons eu de la chance ! Allez, viens. Cherchons quelque chose à manger.

Elles partirent à grands pas, au hasard : elles voulaient simplement s'éloigner du musée. Enfin, elles sortirent du labyrinthe de ruelles et arrivèrent dans une grande artère commerçante, déjà pleine de gens et de véhicules.

— C'est très bien, tous ces magasins, murmura Lily en se léchant les babines devant la vitrine d'un boulanger, mais nous ne pouvons pas acheter un gâteau et le manger sur le trottoir !

— Oh, Lily, regarde ! Là-bas. Des petites tables, avec des vieilles dames assises. Nous pourrions aller là-bas, non ?

Au coin de la rue se trouvait un petit établissement avec de grandes fenêtres au-dessus desquelles était écrit *Aerated Bread Co*. Des petites tables avec des nappes blanches étaient alignées à l'intérieur, et une jeune fille à peine plus âgée que Georgie était en train de servir du thé à des dames d'âge mûr. Malheureusement, sur la porte était accrochée une petite pancarte : *Chiens non admis.*

— Oh, non ! se désola Henrietta à voix basse. Et dire que je rêvais d'une tasse de thé !

Lily haussa les sourcils.

— Quoi ? Je n'ai pas le droit d'aimer le thé ? Arabel avait l'habitude de m'en servir dans une soucoupe.

— Et si nous te cachions dans un de nos sacs pour te nourrir sous la table ?

Lily avait fait cette proposition sur un ton hésitant, redoutant d'être mordue pour son insolence. Cependant, Henrietta acquiesça à contrecœur :

— Bon, d'accord. Mais que ça ne devienne pas une habitude !

Lily ouvrit rapidement son sac, et Henrietta s'y nicha.

— Ne le referme pas complètement ! chuchota-t-elle tandis que Georgie poussait la porte.

À l'intérieur régnait un bourdonnement de conversations polies et de tintements de vaisselle. Des odeurs délicieuses venues du fond de la salle firent soupirer d'aise Lily. Elle avait soudain si faim qu'elle en avait mal au ventre.

Elles s'assirent à une petite table ronde près de la fenêtre, où les installa une serveuse.

— Nous aurions dû nous faire des chapeaux plus grands, murmura Georgie. Regarde celui-là !

— Il y a un oiseau à l'intérieur, Georgie. C'est ridicule ! Euh, du thé, s'il vous plaît, commanda-t-elle à la serveuse. Et... des tartines.

Elle ne savait pas quoi demander : son petit déjeuner consistait presque toujours en du pain et du fromage, ou un bol de porridge mangé dans la cuisine sous le regard courroucé de Mrs Porter, pendant que cette dernière préparait un plateau raffiné que Violette monterait à Maman.

Le sac en tapisserie à ses pieds s'agita furieusement, et grogna. La serveuse regarda autour d'elle, étonnée, et Lily dut simuler une quinte de toux. La jeune fille se hâta d'aller chercher un verre d'eau, pendant que Lily donnait un coup de pied – très léger – au sac.

— Chut ! siffla Georgie en se penchant comme pour redresser son ombrelle.

— Du bacon... gémit le sac.

La serveuse revint. Lily prit le verre d'eau et le but lentement, de la manière la plus distinguée possible. Plusieurs consommateurs les observaient.

— Je vous remercie. Auriez-vous également du bacon, s'il vous plaît ?

Le sac soupira, satisfait, et Lily dut se retenir de rire.

***

— Je me sens beaucoup, beaucoup mieux, maintenant, dit Henrietta, qui ronronnait presque, à l'oreille de Lily.

Elles avaient décidé que, dans les rues animées, il valait mieux que Lily la porte : une minute plus tôt, elle avait traité tout à fait distinctement un monsieur pressé de gros balourd quand il lui avait marché sur la patte. Heureusement, l'homme avait cru que c'était Georgie qui s'était fâchée, et s'était platement excusé.

— Moi aussi ! approuva Lily. Mais tu as failli nous faire repérer, là-dedans.

— Qu'est-ce qu'un petit déjeuner sans bacon ? Croyais-tu vraiment que j'allais me contenter de tartines ? Bon. Maintenant, nous avons besoin d'un logement. Vu l'échec cuisant que nous avons subi hier, je suggère que tu me laisses suivre mon flair pour trouver un endroit convenable.

— Saurais-tu vraiment faire ça ? s'étonna Georgie.

— Bien sûr ! Facilement. Lily, pose-moi par terre. Oh, ne t'inquiète pas ! Je promets de ne pas parler. Mais si un autre idiot me marche dessus, je ne promets pas de ne pas le mordre !

Les deux vieilles dames suivirent donc le petit carlin noir à travers Londres, en s'arrêtant de temps à autre pour qu'Henrietta puisse renifler consciencieusement une maison. Mais elle finissait toujours par changer d'avis.

— Tu es sûre que tu vas trouver quelque chose ? s'impatienta Georgie quelque temps plus tard, en faisant mine de déchirer une feuille du bout de son ombrelle pour pouvoir parler à Henrietta discrètement. J'ai l'impression que nous sommes déjà passées par cette rue !

— Je sais. Je suis revenue en arrière exprès ; au début, je n'étais pas sûre de moi, mais maintenant, je le suis. Ici, c'est parfait.

Henrietta leva les yeux vers le grand bâtiment d'un blanc éclatant devant lequel elles se trouvaient.

— Mais c'est un théâtre, pas une pension ! protesta Lily en s'approchant du mur pour faire semblant de regarder une affiche qui présentait le prochain spectacle. Nous ne pouvons pas habiter ici !

— L'odeur correspond à ce qu'il vous faut, insista Henrietta, têtue.

— Chut !

Deux hommes en pleine dispute étaient en train de sortir du théâtre. L'un des deux tenait un trousseau de clefs à la main, et une affiche roulée de l'autre ; il ouvrit le cadre vitré qui se trouvait dans une niche à côté de la porte, tandis que l'autre homme s'énervait.

— Nous ne pouvons pas faire ça, Daniel ! Nous allons tous être arrêtés !

— Ce serait une excellente publicité, rétorqua le premier.

Il était beaucoup plus jeune, grand et maigre que l'autre. Il parvint à punaiser l'affiche en haut du cadre en se dressant simplement sur la pointe des pieds. Puis il la lissa pour l'admirer et sourit, tandis que son compagnon rebondi continuait à s'énerver.

— Ça dit quasiment que c'est de la vraie magie ! Les Hommes de la reine vont nous tomber dessus avant la fin de la journée !

— Justement, j'ai fait très attention de ne *pas* dire ça, objecta Daniel en refermant le cadre à clef. Je le laisse entendre, c'est tout. Fortement. Arrête de t'inquiéter, Neffsky. Nous allons faire fortune ! De toute façon, c'est mon numéro ; si ça tourne mal, vous n'aurez qu'à dire que vous n'étiez au courant de rien, et me laisser emmener dans une prison pour magiciens.

Lily recula un peu pour essayer de lire ce que disait l'affiche, mais ne distingua qu'un dessin en noir et blanc représentant un homme en smoking entouré de lapins. Qu'est-ce que ça signifiait ? Les lapins n'avaient rien à voir avec la magie. Elle tendit encore un peu le cou, et réussit à lire l'inscription en lettres ourlées.

— *L'incroyable Danieli va vous éblouir avec ses fantastiques illusions...* marmonna-t-elle.

Neffsky rentra à grands pas dans le théâtre en continuant à jurer à mi-voix. Daniel attendit qu'il ait disparu, regarda rapidement tout autour de lui, puis rejoignit Lily en deux énormes enjambées. Il la saisit par le bras ; elle poussa un cri de surprise.

De près, il avait l'air encore plus jeune : à peine quatre ou cinq ans de plus que Georgie. Il prit un visage menaçant, mais Lily était certaine que c'était juste pour l'intimider.

— Vous vous apprêtez à aller quérir les Hommes de la reine, n'est-ce pas ? Eh ! bien, vous pouvez leur transmettre un message de ma part. Dites-leur...

— Lily !

Georgie s'était précipitée vers elle, tandis qu'Henrietta aboyait furieusement, babines retroussées, et essayait de lui mordre les chevilles.

— Laisse-la tranquille ! Lâche-la ! Monstre !

Mais dans sa frayeur, Georgie avait oublié de se concentrer sur le charme, et son visage était en train de se transformer sous leurs yeux. Lily sentit sa peau se resserrer autour de ses os, et s'aperçut que sa robe redevenait celle en mousseline rose qu'elle portait avant.

— Mais... que...

Daniel les dévisagea, bouche bée. Se ressaisissant, il vérifia que la rue était déserte, attrapa également Georgie par le poignet, et les entraîna toutes les deux à l'intérieur du théâtre.

9

Lily se débattait violemment, mais Daniel ne les lâchait pas. Elle vit du coin de l'œil des dorures, du velours rouge, une double porte en bas d'un grand escalier, et enfin un vestibule parsemé de jolies chaises ; de simples aperçus tandis qu'elle se tortillait pour essayer de se dégager.

— Arrête ! rugit Daniel quand elle voulut lui mordre la main. Petite furie !

— Alors lâche-moi ! Et ne fais pas de mal à ma sœur. Regarde, elle est en train de s'évanouir ! Georgie, que se passe-t-il ? Lâche-moi, j'ai dit !

Lily tira à nouveau sur son poignet, et cette fois, Daniel finit par la lâcher, sans doute de peur de laisser tomber sa sœur. Ce qui prouvait au moins que ce n'était pas un sauvage : il n'était pas admissible de laisser choir une jeune fille.

Georgie s'était écroulée dans les bras de Daniel. Ses yeux avaient roulé dans leurs orbites, de sorte qu'on n'en voyait plus que le blanc, et sa peau avait pris presque la même couleur. Le garçon l'examina avec effroi.

— Que lui arrive-t-il ?

Prenant Georgie dans ses bras, il la porta vers un fauteuil où il l'installa et entreprit de l'éventer de la main. Lily le repoussa sans ménagement et frictionna anxieusement les mains de Georgie en l'appelant par son nom, mais en vain.

Henrietta sauta sur la chaise la plus proche et huma Georgie avec agacement.

— Elle n'a rien. Les nerfs, c'est tout. Toi, soulève-moi.

Ces derniers mots étaient adressés à Daniel, qui lui obéit. Il avait l'air d'avoir avalé de travers.

— Henrietta ! Tais-toi, voyons !

— Oh, Lily, enfin ! Ce garçon vient juste de voir deux vieilles dames se transformer en fillettes. Ce n'est pas un chien parlant qui va lui faire peur !

— Ça reste tout de même assez surprenant, admit Daniel.

— Vraiment ?

Henrietta plaça les pattes sur ses épaules et le dévisagea gravement. Elle renifla ses oreilles, l'examina de près, et enfin prit un air approbateur.

— Des vêtements propres. Et il s'est épilé les poils des oreilles. On peut lui faire confiance, Lily. Quoique tu aies oublié de te raser là, ce matin, tu le savais ?

— Désolé, ça ne fait pas si longtemps que je dois me raser...

— Mmm... Enfin bref, Lily, c'est quelqu'un de bien. Et puis c'est un magicien, lui aussi ; nous avons vu l'affiche.

— Oh, non. Pas du tout. Je ne fais que semblant, expliqua Daniel, une note de regret dans sa voix. C'est de la prestidigitation, des illusions qui ne réussissent que face à des spectateurs suffisamment loin. Vous... vous êtes de vraies magiciennes ? Pour de bon ? insista-t-il, plein d'espoir. Et toi, tu es une fille métamorphosée en animal ? demanda-t-il à Henrietta.

— Certainement pas. Quelle idée !

— Tu fais donc des tours avec tous ces lapins ? demanda Lily, que l'affiche avait intriguée.

— Euh, c'est une licence poétique... En fait, je n'en ai que deux. Mais ce sont des lapins blancs, et ils sont très bien entraînés !

— Mais que peut-on faire de magique avec des lapins ?

Cependant, Daniel ne l'écoutait plus.

— Eh, toi ! Je ne crois pas que tu devrais jouer avec ça. Arrête, s'il te plaît !

Georgie avait repris connaissance et s'était assise toute droite sur son fauteuil. Mais elle était toujours aussi pâle, et ses yeux bleus fulguraient comme des pierres précieuses. L'impression qu'ils rayonnaient était accentuée par le reflet de la boule de feu qu'elle faisait tourner dans ses mains, visiblement décidée à la lancer sur Daniel.

— Non, Georgie ! Henrietta dit qu'on peut lui faire confiance !

Mais Georgie ne sembla même pas entendre sa sœur. Elle se leva, très raide, tout en continuant à faire tourner la boule enflammée dans ses mains. Malgré leur éclat surnaturel, ses yeux semblaient vides, comme inhabités. Elle approcha le feu de son visage, et sourit presque en sentant sa chaleur faire rougir ses joues. Puis elle le jeta droit vers Daniel.

Le garçon demeura pétrifié, mais Lily et Henrietta intervinrent en même temps. La boule de feu traversa la pièce ; Henrietta bondit, la

frôla du bout de la patte, et poussa un jappement de douleur.

La sphère s'arrêta dans l'air pendant une
seconde, ce qui donna juste le temps à Lily
de l'attraper. Elle cria en sentant les flammes
blanches lui lécher les doigts, et la projeta à
travers la double porte vers la salle du théâtre,
où elle heurta un des fauteuils en velours rouge
qui explosa aussitôt.

— Est-ce que ça t'a brûlée ? Lily, montre-
moi ! Ça m'a roussi la patte, donc ça a dû te
faire mal ! (Henrietta tirait sur la robe de Lily
avec férocité.) Montre-moi ! ordonna-t-elle à
nouveau, de plus en plus hystérique.

— Tout va bien, annonça Lily d'une voix
faible en s'accroupissant et en montrant ses
mains à la petite chienne. Moi aussi, j'ai cru
que ça allait me brûler – j'ai même cru sentir la
douleur. Mais je n'ai aucune marque. C'était un
maléfice de Georgie ; peut-être que sa magie ne
peut pas me faire du mal comme elle en ferait
à n'importe qui d'autre. Si elle t'avait touché,
elle t'aurait probablement réduit en cendres,
ajouta-t-elle à l'attention de Daniel.

Le garçon s'était penché sur Georgie, sou-
cieux.

— Elle s'est de nouveau évanouie.

— Ça devient une habitude ! grogna Henrietta.

Elle s'approcha de Georgie et lui lécha le visage à grands coups de langue baveuse.

— Est-ce bien hygiénique ? demanda Daniel, qui referma la bouche quand Henrietta lui lança un regard de travers.

Georgie frémit, gémit, et enfin, elle s'assit lentement.

— Ne fais pas ça, Henrietta ! murmura-t-elle en s'essuyant la figure. Lily, pourquoi l'as-tu laissée...

— Tu ne vas pas me faire des reproches, en plus ? Georgie, tu as failli le tuer ! Sans compter qu'il va nous falloir acheter un nouveau fauteuil, et ça doit coûter cher...

— De quoi parles-tu ? Pourquoi aurions-nous besoin d'un fauteuil ? Oh, j'ai une migraine terrible, chuchota Georgie en appuyant ses mains sur ses tempes.

— C'est bien fait pour toi ! Ne me dis pas que tu as oublié ? Tu lui as envoyé une boule de feu, et tu as fait exploser un fauteuil !

— Quoi ? Je n'ai jamais fait ça !

Georgie croisa les bras et prit un air courroucé, mais quand elle remarqua la manière dont Daniel la regardait, ses lèvres se mirent à trembler.

— C'est impossible... Comment aurais-je pu faire une chose pareille sans même m'en souvenir ?

— Je dois avouer que tu avais l'air bizarre, admit Lily, un peu calmée. Comme quand tu avais eu des crises de somnambulisme, il y a quelques années, tu te rappelles ? Tu avais le même regard – tes yeux étaient ouverts, mais c'était comme si tu ne voyais rien.

— Son odeur a changé, chuchota Henrietta à Lily, assez fort pour que tout le monde entende. Elle est plus musquée. Comme la magie de ta mère...

Daniel regardait autour de lui, anxieux.

— Nous devrions aller discuter dans mon bureau. Le théâtre m'appartient, vous savez. Je l'ai hérité de mon oncle, l'année dernière. Nous ne pouvons pas tenir une telle conversation ici. Il y a des gens qui répètent ; heureusement que les avaleurs de sabres sont en train de se disputer dans la cour, sinon l'explosion ne serait pas passée inaperçue... Je vais leur dire que je faisais une expérience avec du matériel pyrotechnique pour mon numéro. Ils me croiront sans peine ; ils sont déjà tous convaincus que je suis à moitié fou. Venez. Nous serons plus tranquilles là-dedans.

Il offrit son bras à Georgie et la conduisit vers une porte dans un coin du hall. Son « bureau » consistait en une toute petite pièce, où on entreposait visiblement tout ce qu'on ne savait pas où caser. Lily posa par terre une peau de tigre qui encombrait une chaise, et Henrietta s'assit juste devant pour admirer ses crocs. Daniel repoussa une pile de papiers et se percha sur un coin de la table.

— Qui êtes-vous ?

Lily et Georgie échangèrent un regard. Jusqu'à quel point pouvaient-elles suivre le conseil d'Henrietta ? Daniel était-il digne de confiance ? Même s'il ne la pratiquait pas, il se passionnait visiblement pour la magie. Peut-être trop...

Lily soupira. Elles avaient déjà détruit un élément de son mobilier, sans compter que Georgie avait failli le tuer. Et puis son visage lui paraissait franc.

— Lily et Georgiana Powers.

— Powers ? répéta Daniel, dont les yeux s'allumèrent. J'ai entendu parler de vous. Vous êtes de la même famille qu'Alethea Sparrow, la buveuse de sang ? Vous vivez dans une maison sur une île, sur la côte du Devon, c'est bien ça ?

— Merrythought, oui... Tu nous connais ?

— J'ai lu des choses sur toutes les grandes familles de magiciens... Mais je ne savais pas qu'il restait encore des Powers. (Il secoua la tête. Ses yeux rayonnaient.) Je n'arrive pas à y croire. C'était un charme ? J'ai assisté à un charme !

Georgie frissonna.

— Depuis le Décret, nous ne sortons plus beaucoup de l'île... Peu de gens savent que nous existons.

— Et j'imagine que ça convient très bien aux Hommes de la reine. Et maintenant, vous vivez à Londres ?

On aurait dit un petit garçon dans un magasin de bonbons. Lily se rendait compte qu'il rêvait de voir de la magie. De la vraie magie.

— Nous voudrions, répondit Henrietta. Mais il est assez difficile de trouver un logement pour deux enfants et un chien.

Daniel fronça les sourcils, réfléchissant.

— Écoutez... notre nouveau spectacle de variétés ouvre la semaine prochaine, et l'Incroyable Danieli – c'est moi – exécutera le numéro phare. C'est l'avantage d'être le propriétaire du théâtre, même si je commence à penser que c'était peut-être une folie. Les autres acteurs sont mécontents, ils ont peur d'avoir des ennuis, et en plus, pour l'instant, personne ne trouve le numéro particulièrement réussi. J'ai besoin de quelque chose d'autre. Quelque chose en plus.

Il lança un regard en dessous à Lily, plein d'espoir.

— Un troisième lapin ? suggéra-t-elle innocemment.

Daniel l'ignora.

— Si je vous laissais vivre ici, pourriez-vous m'aider à perfectionner mon numéro ?

— As-tu envie d'être arrêté ? demanda Henrietta. Un spectacle de magie doit être déjà bien assez dangereux. Tu veux vraiment qu'il ait l'air encore plus vrai ?

— Oh, oui ! Il faudra faire très attention, bien sûr. Mais vous pourriez me donner des conseils, non ? Des suggestions ? Tout le monde aime la magie, ou ce qui y ressemble.

— Mais c'est faux ! s'écria Lily. La nuit dernière, nous n'avons pas pu trouver de chambre, et nous avons fini par dormir au British Museum. Dans la collection d'objets prohibés. Les gens n'aiment pas la magie ; ils pensent que nous sommes tous des fous assassins !

— Non. Non, vous vous trompez. Tous ces objets ont été laissés au musée par une vieille dame. Elle n'était pas des vôtres, mais elle adorait la magie, et c'est elle qui avait constitué cette collection. Sa famille s'était énormément enrichie en tenant un magasin d'articles de magie.

— Certains objets n'ont pourtant rien de surnaturel. Il y a plein de contrefaçons, et les étiquettes racontent n'importe quoi.

— Leurs descriptions sont sinistres, je sais. Cette femme, Lady Amaranth Sowerby, a laissé beaucoup d'argent au musée. Des millions. Mais uniquement à la condition que sa collection serait exposée. Ça a donc été fait, mais pour ne pas contrarier la reine, on l'a présentée sous son plus mauvais jour, et cachée dans la salle la plus lointaine et sombre qu'on a pu trouver. Je crois que je suis la seule personne à y avoir mis les pieds, et je n'y suis allé que deux fois : le garde m'a reconnu, et je ne voudrais pas qu'il me signale auprès des Hommes de la reine.

— Tu penses donc que les gens ne nous détestent pas tant que ça ?

Daniel réfléchit.

— Je dois reconnaître qu'il y a encore beaucoup de ressentiment à votre égard. Ce n'est pas très étonnant, avec la reine mère – vous savez,

Adélaïde, la veuve du roi – qui se promène partout couverte de dentelles noires et de bijoux sombres. Mais la magie elle-même... Les jolies choses que l'on voyait parfois, les oiseaux en papier, les fleurs scintillantes... Les gens s'en souviennent, et les regrettent. Sans compter que puisque c'est interdit, c'est fascinant, vous comprenez. Voilà ce que je veux faire dans mon numéro : des jolies choses, un peu troublantes. Excitantes ! Mais ce serait bien mieux si je m'y connaissais davantage en véritable magie. (Son regard passa de l'une à l'autre, suppliant.) En échange, je vous laisserais habiter ici. Tout le monde y gagnerait.

— Tu veux vraiment que Georgie jette des boules de feu sur les spectateurs ?

— Non, non, bien sûr que non. Mais elle est très pâle ; avec un costume adapté, nous pourrions la faire passer pour une princesse du Nord, ou d'ailleurs... La magie n'est pas interdite à l'étranger, après tout. Elle pourrait me servir d'assistante. Toi aussi ! Vous vaudriez beaucoup mieux que des lapins.

— Nous sommes censées nous cacher ! objecta Georgie. Et non apparaître sur scène devant des centaines de personnes !

— Des centaines, c'est peut-être un peu exagéré. Quoique, si ce nouveau numéro a du succès...

— Pourquoi ne vas-tu pas chercher les
Hommes de la reine toi-même ? demanda soudain Lily. N'est-ce pas une trahison de ne pas
nous dénoncer ?

Daniel haussa les épaules.

— Tout le monde ne croit pas que la magie
devrait être interdite. Toute une race mise hors
la loi à cause d'un seul criminel ? Ce n'est pas
très juste. J'ai lu plein de livres sur l'histoire de
la magie, pendant que je préparais ce numéro ;
et ça pourrait déjà suffire pour me faire arrêter.
Les règles sont tellement strictes ! J'ai dû donner des rendez-vous à des coins de rue, acheter
des livres sous le manteau à des hommes sans
nom... Ça m'a permis de comprendre quelque
chose : les magiciens étaient riches, et assez
impopulaires, même après avoir repoussé l'in-
vasion talisienne. Se débarrasser d'eux était une
manœuvre intelligente de la part de la reine
Sophia – ou de la personne qui la conseillait.

— On croirait entendre notre mère, marmonna Georgie. Tu peux nous donner une
minute ?

Elle attira sa sœur dans un coin, suivie par Henrietta.

— Je lui fais confiance – surtout si j'ai réellement essayé de l'incendier. Il est peut-être... original, mais nous n'avons pas vraiment le choix. Nous avons besoin d'aide, Lily. Nous sommes trop ignorantes. Tu te rappelles la manière dont on nous regardait juste parce que nous n'avions pas de gants ? Si nous continuons toutes seules, nous commettrons d'autres impairs. Tôt ou tard, nous ferons quelque chose qui nous trahira.

Lily se tourna vers Daniel.

— Si nous t'aidons à perfectionner ton numéro, tu nous laisseras vraiment habiter ici ?

— Oui. Il y a plein de petites loges, derrière la scène. Je ne dis pas que c'est luxueux, mais c'est assez confortable.

— J'imagine que c'est le dernier endroit où elle viendra nous chercher...

— Quelqu'un vous cherche ? s'inquiéta Daniel.

— Oui, mais pas les Hommes de la reine. Notre mère. Nous nous sommes enfuies, expliqua Lily.

— Comment ? Pourquoi ?

— Je préférerais ne pas en parler... En tout cas, nous avons besoin de nous cacher. C'est tout ce que je peux te dire.

Mais Daniel ne semblait pas satisfait.

— Quel âge as-tu ?

Lily avala sa salive.

— Dix ans. Georgie en a douze, ajouta-t-elle, comme si la différence était grande.

— Dix ? (Daniel se laissa tomber sur une chaise.) Vous n'êtes que des enfants. À cause du charme... je croyais que vous étiez au moins aussi âgées que moi... Et vous avez fugué... Non, ce serait mal.

— Tu n'es pas complètement sorti de l'enfance toi-même, fit remarquer Henrietta en reniflant son pantalon. Quel âge as-tu ? Seize ans, dix-sept ?

Il rougit, et elle hocha la tête :

— C'est bien ce qui me semblait.

— Si tu nous aides, en quoi est-ce mal ? demanda Georgie en lui agrippant les mains. Nous avons besoin de toi, et toi de nous. Nous nous sommes enfuies parce que ma mère voulait se servir de ma magie. C'est difficile à expliquer... Elle veut que je commette une mauvaise action. (Elle recula et se remit à genoux par terre.) Je crois qu'elle m'a ensorcelée... Quand j'ai peur, ou quand je suis en colère, quelque chose s'empare de moi. Je ne voulais pas te faire de mal, je te le jure. Ce n'était pas moi... Tu ne peux pas nous renvoyer vers elle !

— Mais moi aussi, je vais vous utiliser, exactement comme elle !

— Ce n'est pas du tout pareil ! s'indigna Lily. Tu nous aides, et nous t'aidons. C'est un échange !

— D'ailleurs, ce n'est pas une si bonne affaire, pour toi, renchérit Georgie. Il va falloir que j'arrête de faire de la magie. (Elle se frotta les yeux avec lassitude.) Tout à l'heure, j'essayais à la fois de continuer le charme et de lutter contre toi. C'est à ce moment-là que quelque chose m'a envahie... Si je ne laisse pas sortir ma magie, personne ne pourra s'en servir, pas vrai ?

Elle semblait presque soulagée, constata Lily. L'ombre d'un sourire flottait au coin de ses lèvres. Quand elle avait réalisé qu'elle ne devrait plus, qu'elle ne *pourrait* plus faire de magie, les plis de son front avaient disparu. Elle semblait plus heureuse qu'elle ne l'avait jamais été.

Comment pouvaient-elles être si différentes ? Lily sentait encore le frémissement sous sa peau. Comme si elle avait caché dans sa main la flamme d'une bougie et que la lumière filtrait entre ses doigts. Sa magie voulait sortir, et elle-même ne demandait qu'à la laisser sortir. Elle voulait la faire danser, tournoyer, étinceler. Ses doigts frétillaient de l'envie de recommencer. Elle se rappela soudain ce que disait son père dans sa lettre : lui non plus ne se sentait pas capable d'emprisonner volontairement sa magie.

Georgie se mit à rire.

— On ne t'a jamais forcée à en faire, Lily. Je vois bien que tu me trouves stupide.

— Non ! C'est juste que... Comment peux-tu ne pas aimer ça, alors que c'est si agréable ?

Elle tendit les doigts, sentit l'énergie qui coulait en elle, et sourit. Mais Georgie frissonna :

— Ça me donne la chair de poule. Je crois que je préfère les illusions.

— Vous êtes sûres de vous, toutes les deux ? demanda Daniel, sourcils toujours froncés. C'est décidé ?

Mais quand les filles hochèrent la tête, il se dérida, et se mit soudain à rire. Bondissant sur ses pieds, il agrippa Lily par les bras et la fit virevolter, tout excité.

— Ce sera le meilleur numéro qu'on ait jamais vu. Quand je pense que je comptais sur ces idiots de lapins !

Lâchant Lily, il ajouta, plus sérieusement :

— Et si quelque chose tourne mal, vous pourrez toujours accuser la mise en scène. Vous vous exerciez à la prestidigitation, voilà tout. Si les gens savent que vous êtes mes associées, ils penseront que votre magie n'est qu'illusion, comme la mienne.

Le sourire de Georgie s'élargit.

— C'est vrai !

Henrietta s'était raidie.

— J'ai un pedigree très distingué, vous savez. Je descends de chiens très importants. Si j'avais su que je deviendrais une bête de foire, je serais restée dans mon tableau !

Mais le frétillement de sa queue et sa langue pendante trahissaient son excitation.

Lily savait exactement ce qu'elle ressentait.

10

En une heure, elles avaient trouvé à la fois un logement et un travail. Lily examina la pièce assez poussiéreuse que Daniel leur avait attribuée, à l'arrière du théâtre. Celle-ci était un peu plus petite que sa chambre à Merrythought, mais elle s'en moquait. Henrietta était certaine qu'on pouvait faire confiance à Daniel, et Lily la croyait – plus que jamais, même, depuis qu'il leur avait promis un déjeuner.

Il restait cependant un problème. Dans les couloirs, en venant ici, Daniel avait évoqué ses projets, et ceux-ci risquaient de leur réclamer tout leur temps. Répétitions, essayage de costumes... Quand donc allaient-elles se mettre en quête de leur père ?

Mais au moins, Lily se sentait en sécurité dans cette petite pièce sombre. Qui viendrait les chercher ici ? Maman et Marten ne les soupçonneraient jamais de s'être réfugiées dans un théâtre. Comment l'auraient-elles pu, alors que deux jours plus tôt, c'était à peine si les deux sœurs connaissaient l'existence des salles de spectacle ?

Lily ignorait comment Marten allait s'y prendre pour les chercher. En suivant la trace de leur magie, en les humant comme un chien ? En tout cas, cet endroit entouré de monde était sans doute la meilleure des cachettes. Elles s'y terreraient pendant un certain temps, peut-être quelques semaines, jusqu'à ce qu'elles connaissent mieux le monde dans lequel elles avaient fait irruption. Ensuite, elles commence-raient leurs investigations.

— Il y aura plus de mouvement cet après-midi, expliqua Daniel, de retour dans son bureau, en sortant du pain et du fromage en guise de repas. Comme les artistes travaillent souvent le soir, ils ont l'habitude de dormir assez tard, même si en l'occurrence, nous ne débutons que la semaine prochaine. Après le déjeuner, les autres vont arriver et commencer à répéter.

— Qu'envisages-tu, pour ton numéro ? demanda Lily. Je n'ai jamais vu de spectacle de magie. En fait, je n'ai jamais mis les pieds dans un théâtre, à part celui-ci. Je ne sais pas en quoi consiste une représentation.

— Tu n'es pas la seule : la plupart des habitants de ce pays n'ont jamais vu de spectacle de magie non plus. Ce n'est pas vraiment illégal, mais c'est, disons... limite. Les spectateurs savent que ça ne peut pas être de la vraie magie – sinon, nous serions arrêtés, bien sûr –, mais il faut que ça ait l'air vrai. Et les gens regretteront que ce ne le soit pas ; c'est le plus important. Tout le monde aime le mystère. Une petite dose de surnaturel, à une distance prudente... C'est ce que j'espère, en tout cas. Vous avez vu Neffsky, tout à l'heure : il est convaincu que nous courons à la catastrophe.

— Fait-il partie de la troupe, lui aussi ?

— Oui. C'est un chanteur. Nous avons plein d'artistes différents : des jongleurs, des contorsionnistes, des avaleurs de sabres – plus pour longtemps, peut-être : ils n'arrêtent pas de se disputer, et quand on passe le plus clair de son temps avec une lame dans le gosier, il n'est pas conseillé de perdre son sang-froid. Sinon, il y a le corps de ballet, bien sûr, et les Six Sandersons, qui font du cyclisme artistique...

Il s'interrompit en voyant leurs expressions éberluées.

— Vous n'avez pas la moindre idée de ce que je suis en train de raconter, pas vrai ?

— Ils *avalent* des sabres ? Ça semble encore plus idiot que les lapins !

Daniel fronça les sourcils et se leva : il s'était assis sur la peau de tigre pour manger sa part de pain et fromage.

— Mes lapins n'ont rien d'idiot. Je n'aurais pas dû dire ça, tout à l'heure. Ils sont entièrement blancs, et m'ont coûté très cher !

— Je n'ai jamais rencontré un lapin intelligent, objecta Henrietta, qui lui arracha le croûton qu'il tenait dans sa main et l'avala tout rond.

— Venez donc les voir ! Et toi, ne parle pas, surtout. Il y aura d'autres gens. Il va falloir faire très attention.

Il les conduisit dans la grande salle et grimpa les marches qui menaient vers la scène.

— Asseyez-vous, ordonna-t-il en leur désignant le premier rang. Je vais chercher mes affaires. Le jour du spectacle, tout sera déjà prêt, bien sûr.

Lily et Georgie s'installèrent timidement. Le théâtre s'était rempli pendant qu'elles mangeaient des sandwichs dans le bureau. Quelques hommes en manches de chemise étaient occupés à faire monter et descendre de grands panneaux peints à l'arrière de la scène, et se disputaient pour savoir pourquoi ils se coinçaient, et à cause de qui. Un groupe de jeunes femmes en costume rose et vaporeux dansaient en ligne, en se tenant par les bras ; elles évitaient les mécanismes des décors par de petits bonds légers.

Daniel refit son apparition. Il avait coiffé un chapeau haut de forme et apportait une petite table couverte d'une nappe rouge et ornée de pompons. Mrs Porter en avait une assez similaire dans sa chambre derrière la cuisine, se rappela Lily avec un serrement de cœur. Elle se demanda comment s'était manifestée la colère de Maman après leur fuite. S'était-elle vengée sur les domestiques ? Mrs Porter avait toujours été revêche avec Lily, mais au fond, elle s'était montrée maussade avec tout le monde. Elle lui donnait parfois une poignée de raisins secs dans un cornet en papier, ou même du sucre...

Lily cligna des yeux pour chasser un voile de larmes, et se concentra sur Daniel qui faisait des gestes bizarres autour de la table, comme pour prouver que c'était réellement une table. Il ôta ensuite son chapeau et s'inclina profondément devant le public. S'avançant jusqu'au-devant de la scène, il tourna son chapeau dans tous les sens pour montrer qu'il était vide ; il enfonça sa main à l'intérieur, et le jeta même en l'air.

— Imaginez-vous que je porte un grand manteau noir. Ça aide. Et il y aura de la musique, aussi, une mélodie dramatique, pour mettre dans l'ambiance. Fred et son violon, en particulier.

Lily acquiesça. Georgie se retenait de rire, mais Henrietta était assise bien droite sur son fauteuil. Sa queue remuait, juste un peu. Lily la caressa et lui chuchota :

— Quoi qu'il arrive, ne parle pas !

Daniel retourna vers la table et y posa le chapeau, le rebord en bas. Il déplia ensuite un mouchoir de soie blanche, qu'il étala sur la table avec un grand geste. Enfin, il retourna le chapeau sur le mouchoir, fit une pause pleine de suspense, et en sortit un petit lapin visiblement assez surpris.

Les danseuses et les accessoiristes, qui avaient déjà vu ce tour, ne s'en émurent pas, mais Henrietta se mit à aboyer, tout excitée, en sautant sur sa chaise des quatre pattes à la fois. Lily et Georgie applaudirent poliment, et Daniel fronça les sourcils. Il descendit les marches, le lapin dans les bras.

— Ça ne vous a pas plu ? demanda-t-il, un peu blessé.

Georgie lui tapota le bras, encourageante.

— Si, si, c'était... pas mal... (Elle baissa la voix.) Je suis désolée ; simplement, c'est un sortilège si facile ! Même Lily pourrait le faire, alors qu'elle n'a suivi aucun apprentissage. Ça ne fait que quelques jours que ses pouvoirs sont apparus.

— Mais ce n'était pas un sortilège ! Le lapin était là depuis le début !

Henrietta hocha la tête avec enthousiasme. Sa queue vibrait presque.

— Mais non, il n'était pas là, le contredit Lily. Tu as tenu le chapeau à l'envers ; si le lapin avait été dedans, il serait tombé, même s'il avait été caché par la doublure.

— Si, il y était ! Pas dans le chapeau, mais...

— Derrière la table, souffla Henrietta. Et tu l'as mis dedans quand tu as retourné le chapeau.

— Tu l'as vu ? s'inquiéta Daniel.

Elle secoua la tête, presque imperceptiblement.

— Je l'ai senti. Astucieux !

— Si ce n'était pas de la magie, c'est vrai que c'était un joli tour, reconnut Lily. Mais pourquoi un lapin ? Pourquoi pas un chat, ou... un hérisson, par exemple ?

— Parce que les lapins ne bougent pas. Et ils ne font aucun bruit. Tu me vois suspendre un chat dans un mouchoir en soie à l'arrière d'une table pendant vingt minutes ? Même s'il ne faisait pas tout basculer, il me grifferait jusqu'au sang au moment où j'essaierais de le sortir du chapeau...

Henrietta gloussa, mais presque avec regret. Elle considérait le lapin d'un air vaguement envieux.

— Tu serais bien meilleure qu'un lapin, la consola Lily. Ces bêtes-là n'ont aucun caractère.

— Justement, c'est pour ça que c'est drôle. Belle a l'air si innocente ! (Daniel caressa les oreilles de l'animal, puis examina pensivement Henrietta.) Mais un chien intelligent... C'est une idée intéressante. Jusqu'ici, j'ai réalisé tous mes tours tout seul, mais si quelqu'un travaillait avec moi, les possibilités deviendraient infinies ! J'ai dessiné le projet d'une cabine... J'ai essayé de convaincre une des danseuses de s'y cacher, mais cette idée ne lui a pas plu du tout. Pour tout dire, elle m'a déclaré que j'avais l'esprit dérangé, et que pour rien au monde elle n'entrerait dans cette boîte diabolique.

Un sourire flottait sur ses lèvres ; il regardait dans le vague, perdu dans ses pensées.

— Ce serait une illusion tellement fantastique ! Quand la danseuse m'a dit ça, j'ai eu une inspiration. Par un simple jeu d'ombres, on pourrait faire apparaître de grandes mains crochues...

Lily soupira.

— Est-ce dangereux ?

— Oh, non ! Enfin... non. Inconfortable, voilà tout.

— Si tu nous donnes de l'argent pour acheter de quoi manger, en plus du logement, nous le ferons. Nous t'aiderons à préparer tes tours, et nous nous cacherons dans des boîtes. Pas vrai, Georgie ?

Georgie mâchonnait à nouveau ses cheveux.

— Pas de vraie magie ?

Daniel secoua fermement la tête.

— C'est tentant, mais... non.

— Dans ce cas, d'accord.

***

— Qui êtes-vous ?

Une fille du même âge que Lily s'était plantée devant elles et les regardait de haut. Daniel avait promis de les présenter aux autres membres de la troupe, mais il était tout d'abord allé remettre Belle dans son clapier et avait laissé Lily et Georgie assister aux répétitions.

— Ceci est un théâtre privé. Vous ne pouvez pas y entrer comme bon vous semble. Sam ! Il y a deux provinciales assises dans la salle ! Venez les chasser !

Le chef machiniste, qui avait réussi à réparer le mécanisme des décors et était en train de hisser un jardin aquatique japonais pour faire apparaître une forêt talisienne, se retourna. Son expression fit penser à Lily que ce n'était pas la première fois qu'elle l'apostrophait ainsi.

— Qu'y a-t-il, Miss Lydia ? demanda-t-il poliment.

— Je viens de vous le dire ! Des intruses !

Elle pointait Lily du doigt. Henrietta claqua des mâchoires devant sa main ; la nouvelle venue recula alors avec un grand cri, au grand amusement de ceux qui assistaient à la scène.

— Faites quelque chose ! Abattez cette bête ! Elle a sûrement la rage !

— Miss Lydia, ces jeunes demoiselles vont travailler avec Mr Daniel.

— Notre chienne aussi, ajouta Lily. Et elle n'a pas la rage. Tu as agité ton doigt sous son nez, et elle a fait preuve de beaucoup de retenue : elle ne t'a même pas touchée.

Lydia l'ignora complètement. Son visage avait changé quand on lui avait dit que Lily et Georgie allaient participer au spectacle. Son mépris était désormais mêlé de jalousie, et d'une pointe de crainte.

— Vous ? Des artistes ? Habillées comme ça ?

Elle désigna de la main leurs robes démodées et sourit méchamment. Elle-même portait une robe de dame en miniature, lacée et longue jusqu'au sol ; corset et tournure lui faisaient une taille de guêpe, mais ça n'avait vraiment pas l'air confortable, se dit Lily. Elle tenait à la main un petit parasol rose à dentelles, et de son chapeau jaillissait une fontaine de plumes qui retombaient sur ses longues boucles blondes.

— Alors, qu'êtes-vous censées faire, exactement ? Il ne peut guère vous faire sortir d'un chapeau...

Elle rit, d'un petit rire artificiel et musical couvrant au moins six notes.

— Ah, je vois que vous avez fait connaissance, s'exclama Daniel qui descendait les marches, un peu tendu. Lily et Georgiana, voici Lydia Lacey.

— On m'appelle aussi le Rossignol d'Argent...

Lydia battit des cils, faussement modeste ; il était visible qu'elle s'attendait à ce qu'elles soient très impressionnées. Face à leur silence, elle haussa le menton :

— Ma voix est célèbre. Même la famille royale a entendu parler de moi !

Lily sourit intérieurement. La famille royale avait sans nul doute entendu parler également d'elle et de Georgie... mais pour des raisons différentes.

Une grosse femme aux cheveux jaunes, une couleur de toute évidence artificielle, vint les rejoindre. En dépit de sa silhouette imposante, ses yeux vert-bleu convainquirent aussitôt Lily qu'il s'agissait de la mère de Lydia. Sa robe était encore plus extravagante que celle de sa fille, et elle menaçait de la faire craquer à chaque mouvement.

— Mr Daniel ! J'espère que vous allez faire évacuer la scène afin que Lydia puisse répéter. Elle a besoin de silence ; elle ne peut absolument pas chanter avec ce tapage.

Elle jeta un coup d'œil à Lily et Georgie, et décida manifestement qu'elles ne valaient pas la peine qu'elle s'enquière de leur identité.

— Peut-être que pour une fois... Nous sommes assez pressés, avec la réouverture prévue pour la semaine prochaine... commença Daniel.

Mais la mère de Lydia sembla enfler comme un pigeon outragé, risquant plus que jamais de faire exploser sa robe, et il se rendit :

— Messieurs, posez vos outils ! Miss Lacey souhaite répéter.

— Je vous remercie, fit la femme avec une gracieuse inclinaison de tête.

Sam, le chef machiniste, descendit des planches à grands pas rageurs et s'approcha pour parler à Daniel. Il salua aimablement Lily et Georgie. Ses yeux tombèrent alors sur Henrietta, et son regard s'éclaira.

— Comme il est mignon ! s'extasia-t-il en lui tendant une main pour qu'elle puisse le flairer.

Lily lança un regard d'avertissement à Henrietta, mais elle s'inquiétait pour rien. La petite chienne se frottait contre la main de Sam, minaudait presque, et le considérait avec adoration.

— Ça alors ! Je n'ai jamais vu Henrietta aussi amicale ! s'étonna Lily.

Le gros homme sourit.

— Elle est adorable. Mr Daniel, ça y est, le treuil est réparé.

— Tant mieux, tant mieux. Sam, croyez-vous qu'un de vos menuisiers pourrait me fabriquer rapidement un petit meuble pour le spectacle ? Rien de très compliqué, une sorte de cabine pliable... Et d'ailleurs, à propos de treuil...

***

Au cours des jours suivants, presque tout le monde au théâtre accueillit Lily et Georgie avec bienveillance, surtout quand Daniel laissa entendre que c'étaient de lointaines cousines à lui. Un des ouvriers leur dit même que leur numéro était « fameux ». Lydia et sa mère, en revanche, ne perdaient jamais une occasion de se montrer désagréables. Lydia fit délibérément trébucher Georgie dans les coulisses, et déchira son costume brillant. Elle se répandit en excuses et prétendit que c'était un accident, mais Henrietta l'avait vue manœuvrer.

— Elle est jalouse, expliqua la chienne, le soir, dans leur petite chambre.

Les deux sœurs partageaient un vieux lit de cuivre que Daniel avait déniché quelque part. Le matelas était bosselé, et dégageait une légère odeur de souris – même si seule Henrietta s'en rendait vraiment compte –, mais elles y dormaient très bien toutes les trois ensemble, sans jamais regretter leurs chambres imposantes de Merrythought.

— Je ne comprends pas pourquoi, se plaignit Lily. C'est une artiste célèbre, elle a son portrait dans les gazettes, et des princes de toute l'Europe veulent qu'elle vienne chanter pour eux... En tout cas, c'est ce qu'elle prétend !

— Elle m'a montré un article de journal, admit Georgie. On disait qu'elle avait une voix exceptionnelle, qui touchait les spectateurs aux larmes.

— Justement. Nous ne chantons pas, nous. Pourquoi nous envierait-elle ?

Henrietta s'avança sur la couverture pour venir s'installer entre les deux filles.

— Je crois qu'elle commence à comprendre... Je sais que vous n'admirez pas particulièrement les petits tours de Daniel, mais si vous ne pouviez pas faire de magie, si vous n'en aviez jamais vu, vous vous rendriez compte qu'ils sont impressionnants. Et nous les avons encore perfectionnés ! Georgie contribue à instaurer une ambiance propice. Et Alfred Sanderson – le rouquin qui joue du violon en pédalant à l'envers sur son monocycle – a dit que j'avais un talent comique naturel. Et toi, Lily, tu es très jolie dans ta robe bleue, ajouta-t-elle en léchant les mains de sa maîtresse.

Lily sourit et éteignit la flamme de la bougie d'un claquement de doigts. Elle ne regrettait pas de ne pas être la star de leur numéro : elle savait faire de la vraie magie, et c'était tout ce qui comptait. Hélas, elle avait à peine eu l'occasion de s'exercer au cours des derniers jours, avec toutes ces répétitions, ces essayages de costume, ces commissions urgentes. Après toutes ces années passées presque toujours dans la solitude, où elle ne pouvait pas parler à quelqu'un sans sentir qu'elle dérangeait, Lily avait l'impression d'avoir voyagé dans un autre monde, bien plus loin qu'un train n'aurait pu l'emmener. Pour la première fois, on avait besoin d'elle. Et Henrietta avait raison : leur numéro était très réussi. Lily avait remarqué les réactions autour d'eux pendant qu'ils répétaient : les accessoiristes et les décorateurs interrompaient petit à petit leur ouvrage pour les regarder. Ils avaient faim de magie ; Lily le sentait. Ou, sinon de magie, du moins de quelque chose de mystérieux et de palpitant. D'après ce que leur avaient dit Daniel et les autres, le Décret n'avait pas uniquement interdit la magie. Des dizaines de règles avaient été édictées, au sujet de tout et de rien, et les salles de théâtre subissaient sans cesse des inspections au cas où il s'y passerait quelque chose de dangereux ou d'inconvenant. Au théâtre, tout le monde semblait haïr les Hommes de la reine autant que Georgie et Lily avaient appris à les détester ; Sam avait même craché par terre lorsque Lily les avait mentionnés en l'aidant à accrocher un nouveau décor. Il s'était ensuite excusé, honteux, quand Henrietta avait aboyé. Il adorait la petite chienne, et lui offrait toujours des friandises, ou la croûte de son chausson à la viande à l'heure du déjeuner.

À partir du moment où la costumière, les accessoiristes et tous les autres avaient compris que les deux sœurs étaient toujours présentes et qu'elles rendaient volontiers service, on s'était mis à les prier sans cesse d'aller acheter un ruban rouge, ou un sachet de clous, ou même un sandwich pour l'éclairagiste. Georgie s'était liée avec Maria, la costumière, dont elle admirait les créations. Maria était si contente de disposer d'une autre paire de mains pour coudre des paillettes sur les justaucorps qu'elle avait aidé Georgie à retaper deux vieilles robes pour Lily et elle-même, afin que les filles aient des tenues un peu moins démodées – ou en tout cas, n'ayant pas plus de deux ou trois années de retard sur la mode actuelle.

Tandis que Georgie cousait et écoutait les ragots dans la salle d'habillage, Lily et Henrietta arpentaient le dédale de petites rues à l'arrière du théâtre jusqu'à les connaître par cœur. Néanmoins, Lily n'aimait pas aller plus loin. De temps en temps, on l'envoyait faire une course dans une rue plus importante, mais cela l'effrayait. Elle se sentait comme une feuille emportée par les vagues, ballottée ici et là par la foule pressée. La première fois, elle avait même dû s'adosser à la vitrine froide d'un magasin pour reprendre son souffle. Peut-être finirait-elle par s'habituer ?

Il le faudrait bien. En y repensant, Lily fronça les sourcils dans le noir. Le théâtre était si amusant, si chaleureux, si lumineux qu'il leur aurait été facile d'oublier les raisons de leur fuite. Depuis une semaine, elles avaient en effet quasiment tout oublié. Pourtant, elles ne pouvaient pas rester éternellement les assistantes d'un prestidigitateur. Georgie et elle étaient venues à Londres afin de chercher leur père, ce qui signifiait qu'il leur faudrait s'aventurer hors de leur cocon.

Où se trouvaient les prisons des magiciens ? Était-on autorisé à rendre visite aux détenus, à leur écrire ? Si elles devaient utiliser leurs pouvoirs pour localiser leur père, elles risquaient d'attirer Marten. Lily se mordit les lèvres, songeuse. Il allait falloir qu'elles se ressaisissent. Les illusions éblouissantes qu'elles pratiquaient leur avaient fait oublier la vraie magie. Elle sourit en sentant celle-ci l'envahir. Le sang battait dans ses tempes. Elle ne pourrait pas l'enfermer pour toujours.

Elle s'enfonça les ongles dans les paumes. S'il lui fallait se débarrasser de Marten pour libérer sa magie et celle de son père, elle le ferait. D'une manière ou d'une autre. La magie affluait en elle, se pressait contre sa peau, et Lily soupira. Si seulement elle avait été capable de l'utiliser correctement ! Car au cas où il leur faudrait recourir à celle de Georgie contre Marten, le sort jeté par Maman risquait de refaire surface...

***

— J'ai mal au cœur, murmura Georgie.

En effet, elle était très pâle. Lily s'inquiéta :

— Ah, non ! Ça fait une semaine que nous répétons, Georgie. Ça va être notre tour d'une minute à l'autre, dès que Lydia aura terminé cette chanson lugubre au sujet des fleurs qui poussent sur la tombe de sa mère... Franchement, j'aimerais presque que ce soit vrai. Sa mère m'a encore dit que j'avais l'air d'une pauvresse, ce matin.

Les yeux de Georgie étincelèrent de colère, ce qui était le but recherché par Lily.

— Même avec ta nouvelle robe ? Comment ose-t-elle, alors qu'elle-même ressemble à un éléphant couvert de fanfreluches ?

— Vous êtes prêtes ?

Daniel était apparu près d'elles, un peu nerveux. Il portait à la main Belle, la lapine, à moitié enveloppée dans le mouchoir de soie noire qu'il utilisait pour la cacher derrière la table.

— J'espère, oui, chuchota Lily.

Elle avait le trac, elle aussi, alors qu'elle n'avait rien de bien difficile à faire, à part se tapir dans la « cabine du démon », tour pour lequel elle avait été choisie à cause de sa taille plus petite que celle de Georgie. Sa sœur avait révélé un talent étonnant pour virevolter sur les planches avec une grâce mystérieuse : juste ce dont ils avaient besoin. Ses cheveux blonds, presque blancs, avaient été surmontés d'un diadème étincelant, et elle portait une tunique argentée qui ressemblait un peu à celles sur lesquelles les deux filles avaient dormi au musée. Elle devait passer pour une princesse des neiges, venue d'un pays nordique où la magie foisonnait. Lily avait été écartée de ce rôle par ses cheveux bruns, et ne s'en plaignait pas. Elle aimait danser, mais préférait les pas rapides et sautillants des chanteurs comiques aux mouvements lents et harmonieux que Georgie avait calqués sur ceux des danseuses de ballet. Sa sœur s'y adonnait avec un visage expressif et mystérieux qui rappelait un peu à Lily celui de quelqu'un souffrant de coliques.

Lydia était en train de faire la révérence – très gracieusement, admit Lily à contrecœur. Elle n'aimait pas sa voix haut perchée qui lui vrillait le crâne, mais l'assistance semblait l'adorer. Certains spectateurs s'étaient même levés pour l'applaudir, et Lydia multipliait les retours et les courbettes avec un air modeste qui fit serrer les mâchoires à Lily. Il *fallait* que le numéro de Daniel soit une réussite. Tandis qu'elle attendait, Lily sentait la magie l'appeler, comme une sorte de pétillement intérieur.

Lydia s'inclina une dernière fois et rentra enfin dans les coulisses. Lily se secoua et essaya de se dominer. Il aurait été si facile de transformer Belle en quelque chose de plus intéressant ! Cela aurait apaisé ce chatouillement, ce trop-plein de magie enfermé en elle. Mais elle chassa cette idée quand les lourds rideaux de velours se refermèrent, et se hâta d'aller prendre place devant la cabine à l'arrière de la scène. Enfin, elle se retourna et prit la pose, pendant que les tentures se rouvraient lentement.

11

Lily retenait son souffle. Si elle respirait trop profondément, les panneaux risquaient de bouger, et tous les spectateurs, ou du moins ceux des premiers rangs, comprendraient où elle était. Elle continuait à avoir du mal à croire que personne ne réussirait à deviner l'emplacement du compartiment secret. Ça paraissait tellement évident ! Mais quand Daniel et Sam avaient fini de construire la cabine ensemble, et que Georgie avait emprunté du tissu à Maria pour confectionner le rideau, ils avaient fait devant la troupe une dernière répétition qui avait cloué tout le monde sur place. Sam, qui avait juré de ne rien révéler et avait été grassement payé pour son travail, s'était contenté de sourire lorsque les chuchotements avaient parcouru la salle et les coulisses. Nul autre ne connaissait le fin mot de l'histoire.

Lily se risqua à prendre une longue inspiration quand Georgie fit tourner la cabine sur elle-même pour prouver qu'il n'y avait aucune porte de l'autre côté. La cabine était bel et bien vide, même si chacun l'avait vue y entrer.

— Le démon l'a avalée ! Ma pauvre petite assistante...

Lily grimaça. Elle trouvait ce boniment dramatique embarrassant ; elle préférait les moments plus drôles, comme lorsque Daniel faisait apparaître des mouchoirs, qu'Henrietta les lui chipait, et qu'elle s'enfuyait vers les coulisses en traînant derrière elle une longue ribambelle de tissus multicolores.

— Il va falloir la tirer des griffes du démon...

Lily bâilla. Elle avait envie de remuer les doigts de pied. Georgie tira le rideau de gaze devant la cabine pour la suite du numéro, et la musique ésotérique céda la place à un roulement de tambours. Lily replia le panneau latéral et alluma la bougie, en se brûlant les doigts au passage avec l'allumette. Elle entendit les exclamations des spectateurs quand la cabine se mit à émettre une lumière fantomatique, et elle crispa ses doigts comme des serres qu'elle agita devant la flamme, projetant des ombres cauchemardesques sur le rideau. Daniel cria une formule dépourvue de sens, et elle éteignit la bougie, ce qui fit disparaître les griffes terrifiantes. À la même seconde, la musique s'arrêta abruptement : le chef d'orchestre disposait d'un miroir qui lui permettait de voir la scène, y compris au fond de la fosse. Pendant un moment, un lourd silence régna.

Puis la musique recommença, douce et séduisante, tandis que Daniel faisait des passes incantatoires, planté devant le rideau, au cas où le tissu tremblerait pendant que Lily se glissait hors de sa cachette. Enfin, Georgie l'ouvrit avec un grand geste ; Lily sourit et salua de la main l'assistance ahurie, et Daniel l'aida à descendre.

La Cabine du Démon était leur dernier numéro, et ils s'inclinèrent longuement pendant que les applaudissements résonnaient dans la salle. Enfin, le rideau se referma, et ils disparurent dans les coulisses.

Maria les accueillit avec effusion, et Sam, qui hissait le décor pour le numéro suivant, tapa dans le dos de Lily.

— Tu as été excellente, Lily ! Tu entends le public ?

En effet, loin de s'arrêter, les applaudissements avaient augmenté, accompagnés d'acclamations et de tapements de pieds.

— Nous aurions dû prévoir un rappel ! murmura Daniel.

— Un rappel ? fit une voix excédée.

Mrs Lacey, la mère de Lydia, se tenait près d'eux, les mains sur les épaules de sa fille qui faisait une moue adorable.

— Ne soyez pas ridicule. Lydia va chanter. Vous ne pouvez pas décevoir son public.

Daniel eut envie de répliquer, mais comme ils n'avaient pas répété de tour supplémentaire, il s'inclina et laissa Lydia retourner sur scène dans son étincelant costume de fée aux ailes parsemées d'éclats de cristal, baguette magique à la main.

— Nous aurions dû arrêter le spectacle ici, marmonna-t-il en entendant le public murmurer tristement quand le rideau se rouvrit. Mais son contrat prévoit qu'elle doit passer en dernier...

Lydia était vraiment très, très douée, dut reconnaître Lily quand elle vit celle-ci charmer à nouveau les spectateurs. Mais pas tout à fait assez pour faire oublier les prouesses de Daniel. C'était de ces tours de magie auxquels ils croyaient avoir assisté qu'ils discuteraient en sortant du théâtre, et non du Rossignol d'Argent. Et quand Lydia fit la révérence et quitta la scène, ses joues rouges et ses mâchoires

crispées prouvèrent qu'elle en était consciente
– et qu'elle était furieuse.

***

— Tu es dans le journal, Lily ! Une tasse
de thé ?

Sam, qui avait mis une bouilloire sur le petit
poêle de la pièce réservée aux machinistes,
interpella Lily lorsqu'elle passa devant lui en
bâillant, le lendemain matin. Leur numéro ne
durait qu'une vingtaine de minutes, mais cette
expérience l'avait à la fois épuisée et remontée
comme le ressort d'une horloge. La veille au
soir, elle avait gigoté sous les draps jusqu'à ce
qu'Henrietta et Georgie menacent de l'envoyer
dormir dans la salle d'habillage.

— Volontiers, merci... Dans le journal ?

— Regarde, il y a un dessin de toi dans
la cabine, avec Henrietta au-dessus, même si
elle n'était pas sur scène à ce moment-là. Les
dimensions sont erronées. (Il grommelait, mais
Lily devina qu'il était très fier de sa création.)
Quelqu'un a dû la décrire au dessinateur. Il faudrait dire à Daniel de rappeler le photographe
qui est déjà venu une fois pour qu'il fasse ton

portrait. Tu pourras bientôt le vendre comme souvenir, tu verras.

— Comment ça ? demanda Lily, perplexe.

Il secoua la tête en souriant, amusé.

— Tu es une drôle de fille, parfois. Toi et ton petit diable à poil...

Il prononça ces derniers mots d'une voix débordante d'affection et gratta Henrietta derrière les oreilles. La chienne ferma les yeux, en extase.

— Je n'ai pas très bien compris, avoua humblement Lily. Voulez-vous dire qu'on pourrait vendre ma photographie aux spectateurs ? L'achèteraient-ils vraiment ?

— Si nous continuons ainsi, oui, bien sûr. Ça pourrait remplir un peu vos caisses. Ce n'est pas du luxe, quand on fait une fugue...

Lily se raidit et releva lentement les yeux du journal, mais Sam souriait toujours. Il avait juste haussé un de ses sourcils touffus.

— Bien sûr, vous n'avez peut-être pas envie que toute la ville connaisse votre tête. Je ne te pose aucune question, Lily, ma jolie. Parfois, on n'a pas le choix, dans la vie. C'est comme ça.

— Nous ne pouvions pas faire autrement, chuchota Lily. Je vous le promets.

— Encore une fois, je ne t'interroge pas. Mais faites attention à ce que vous racontez. Tout comme d'autres membres de la troupe, j'ai travaillé pendant des années pour l'oncle de Mr Daniel, et il n'a jamais mentionné de jeunes cousines.

— Des cousines lointaines... plaida Lily. Presque perdues de vue.

— D'accord. Tiens-t'en à cette histoire. Alors, que dit l'article ?

Lily déchiffra la légende sous le dessin. Un petit sourire absurde lui vint aux lèvres tandis qu'elle la lisait à voix haute :

— *L'Incroyable Danieli, avec la Princesse des Neiges et une amie au Queen's Theatre.* C'est vraiment nous ! Henrietta est très ressemblante, mais les trois autres personnes n'ont rien à voir avec moi, ni avec Georgie, ni avec Daniel.

— Aucune importance. Va donc acheter deux ou trois journaux, Lily. Ensuite, tu pourras les brandir sous le nez de tout le monde, en particulier de Miss Lydia et sa mère. L'article ne cite même pas son nom. Elles vont piquer une crise !

— Par contre, le journaliste évoque les Sandersons. Et dit que les Vandinis sont remarquables.

Lily lut en diagonale le reste de la critique, qui était très favorable, même si elle faisait lourdement allusion au fait que les Hommes de la reine pourraient être très intéressés par ce qui se passait au *Queen's Theatre*.

— Les autres seront-ils fâchés de voir qu'on parle surtout de nous ?

— Ça m'étonnerait. C'est une bonne réclame pour le théâtre, et tout le monde souhaite que ce soit un succès : sans ça, nous perdrions notre place. Par contre, personne n'a envie de voir débarquer les Hommes de la reine. Sans cet article, nous pouvions espérer leur échapper un peu plus longtemps... Mais au moins, on affichera complet, ce soir. Et personne ne peut prouver que c'était de la vraie magie. Car ça n'en était pas... pas vrai ?

Il fit une pause, comme s'il attendait quelque chose, mais Lily hocha simplement la tête. Elle avait l'impression que Sam en savait plus qu'il ne voulait l'admettre.

Daniel fit alors irruption dans la petite pièce avec un sourire si large qu'on aurait pu compter ses dents.

— Lily ! Sam ! Regardez ! cria-t-il en brandissant le journal. C'est une chance que je vienne d'inventer un nouveau tour pour le rappel, pas vrai ?

— Ah bon ? demanda Lily, sur ses gardes. Est-ce que je vais encore devoir me ratatiner ?

Daniel secoua la tête en signe d'excuse.

— Non. Je suis désolé, Lily, mais je pense que Georgie sera bien meilleure pour celui-ci. Il va falloir que je fasse semblant de l'hypnotiser, et Georgie a l'air plus... plus...

— ... endormie ?

— Oui, c'est ça. Je pense qu'elle sera plus convaincante quand elle fera mine d'être en transe...

Henrietta émit un gloussement qui ressemblait beaucoup à un rire. Elle ne pouvait pas parler en présence de Sam, mais avait du mal à se retenir.

— Sam, pourriez-vous me fabriquer un appareil destiné à hisser quelqu'un d'ici ce soir ?

— Non.

— Oh... Demain, alors ?

Daniel le regardait avec espoir. Sam soupira.

— Peut-être. De quoi s'agit-il ?

— Je vais la faire léviter – la soulever dans l'air, comme si elle flottait ! Tenez, regardez, j'ai fait un schéma.

Il coinça le journal sous son bras et sortit une liasse de papier qu'il déroula, envahissant la pièce. Sam les examina et commenta :

— Écoutez, ça ne peut pas marcher, Mr Daniel. À moins que...

Lily se glissa dehors, sans qu'aucun des deux remarque son départ. Une fois dans l'allée derrière le théâtre, elle se mit à la recherche d'un marchand de journaux. Peut-être pourrait-elle confectionner un recueil, trouver un album pour y coller les articles qui les concernaient ? Mais cette idée lui fit penser à l'album de photographies de Maman, et une vague de terreur l'envahit brusquement, si vite qu'elle dut s'arrêter et s'appuyer contre le mur, en avalant sa salive plusieurs fois pour ne pas vomir.

Georgie n'avait plus eu d'autres absences, et Lily avait réussi à ne pas songer à Merrythought depuis une semaine. Or, elle avait soudain l'impression d'y être retournée. Elle frissonna, et s'essuya le front avant de se détacher avec effort du mur.

Elle se remit en route, sans regarder où elle allait, Henrietta sur les talons. Au bout d'un long moment, la chienne accéléra, contourna Lily, et s'arrêta devant elle avec un aboiement sec, de sorte que Lily faillit trébucher.

— Oh !

Lily réalisa soudain qu'elle n'avait aucune idée de l'endroit où elle se trouvait, excepté qu'elle arpentait une rue pleine de riches magasins. Au moins, sa nausée avait disparu.

— Merci... chuchota-t-elle à Henrietta, qui la considérait d'un air réprobateur.

La chienne jeta un coup d'œil éloquent aux gens qui passaient auprès d'elles. Lily se baissa et la prit dans ses bras. Elle était si chaude, si solide, avec son odeur canine réconfortante !

— Sais-tu où nous sommes ? murmura-t-elle.

— Bien sûr, souffla Henrietta, le museau caché dans ses cheveux. Mais le théâtre est loin. Tiens, tourne ici.

Lily se dit qu'elle avait bien de la chance qu'Arabel ait choisi pour animal de compagnie un carlin, et de petite taille, en plus. Il aurait été bien plus difficile de bavarder discrètement avec un chien-loup.

Tout à coup, Henrietta se raidit, et ses griffes s'enfoncèrent dans l'épaule de Lily.

— Il y a quelque chose qui vient. Quelque chose de dangereux. Cache-toi, Lily !

Lily regarda frénétiquement autour d'elle. Où pouvait-elle aller ? Et de quoi devait-elle se cacher ?

C'est alors qu'elle la vit. Une silhouette noire, voilée, qui glissait à travers la foule de passants.

Le cœur tambourinant, Lily tendit la main et ouvrit avec des doigts moites et tremblants la porte du magasin devant lequel elle se trouvait. Elle se faufila à l'intérieur et referma derrière elle. Les yeux écarquillés, elle regarda Marten passer en tournant la tête à droite et à gauche. Pendant un moment, Lily ne comprit pas ce qu'elle faisait. Puis elle devina. Marten les flairait. Elle les chassait, Georgie et elle.

Lily pressa une main sur sa bouche, certaine que cette fois elle allait vomir. Marten s'arrêta et regarda autour d'elle pendant un temps interminable, puis elle repartit, avec son étrange démarche glissante qui suggérait que ses longues jupes noires cachaient peut-être autre chose que des pieds.

Bien sûr, Lily avait su que Marten les suivrait jusqu'à Londres. C'était pour cette raison qu'elle était toujours restée dans les environs du théâtre. Mais à présent, ce n'était plus un soupçon, mais une certitude. Elle se sentait comme un petit lapin désarmé tel que Belle, contrainte à attendre l'arrivée d'un renard affamé.

La créature de Maman sillonnait la ville, sur leurs traces.

***

— C'était elle, affirma Lily, têtue. Tu n'étais pas là, Georgie. Je sais que c'était elle.

Elle avait décidé de mettre sa sœur au courant. Elle ne pouvait pas continuer à lui cacher la vérité, comme à la gare de Lacefield : c'était trop dangereux.

— Mais comment Maman aurait-elle pu nous retrouver si vite ? demanda Georgie.

Quand Lily était revenue au pas de course, elle avait trouvé sa sœur en train d'admirer son portrait dans le journal que lui avait donné un des contorsionnistes. À présent, elle le froissait nerveusement entre ses doigts.

— Elle ne nous a *pas* trouvées ! Je te répète que nous étions très loin du théâtre. Elle a peut-être senti que j'étais proche, mais elle n'a pas réussi à comprendre où exactement, et Henrietta est sûre qu'elle ne nous a pas suivies jusqu'ici. Oh, heureusement que ce dessin ne nous ressemble pas ! Au moins, même si Maman est à Londres avec Marten, elle ne pourra pas nous reconnaître.

— Vous avez beaucoup attiré l'attention, hier soir, dit Henrietta.

Elles s'étaient cachées derrière un élément du décor, dans les coulisses, de manière que personne ne puisse voir Henrietta parler.

— Toi aussi ! rétorqua Georgie. Nous étions toutes les trois d'accord, je vous signale. C'est même moi qui avais peur que ce soit trop dangereux, mais vous m'avez persuadée du contraire !

Elle posa les yeux sur la toile peinte derrière elle et caressa du doigt un mouton dont on se servait pendant la chanson pastorale de Lydia.

— Je ne veux pas m'enfuir à nouveau, Lily. De toute façon, nous n'avons nulle part où aller ! Nous avons eu de la chance de trouver ce théâtre...

— Ce n'était pas de la chance ! protesta Henrietta.

— C'est vrai. Quoi qu'il en soit, je n'ai pas le courage de repartir à zéro. Il va falloir faire attention, c'est tout. Tu l'as dit toi-même, Lily : c'est peut-être un hasard si elle était si près de nous. Si nous la revoyons, nous... nous ferons quelque chose.

Lily approuva. Elle non plus n'avait pas envie de quitter le théâtre. Néanmoins, « quelque chose » ne lui semblait pas un plan très abouti. Dans tous les cas, Georgie devrait presque certainement utiliser sa magie, ce qui signifiait que n'importe quoi pouvait arriver.

Elle sourit sombrement. Si au moins elles faisaient en sorte que ça arrive à Marten...

— Que faites-vous cachées ici ? demanda soudain Daniel en faisant irruption derrière le décor.

Lily sursauta.

— Qu'est-ce que c'est que cette manière de sauter sur les gens ? J'ai failli avoir une attaque !

— Oh ! je suis désolé... Que se passe-t-il, Lily ? Tu es toute pâle. Je ne t'ai pas fait peur à ce point-là ?

— Excuse-moi, marmonna Lily. J'ai eu un choc. Tout à l'heure... J'ai vu la suivante de Maman, Marten. Dans la rue. Pas tout près d'ici, mais elle nous cherchait. Maman veut nous retrouver... Nous nous y attendions, mais nous nous sentions tellement en sécurité, ici ! Nous l'avons semée, précisa-t-elle. Elle ne s'est pas approchée du théâtre.

Daniel fronçait les sourcils.

— Une coïncidence, donc ?

— Je l'espère. Elle doit nous chercher dans toute la ville...

Lily frissonna en repensant à la manière dont Marten reniflait leur trace. Daniel dévisagea

Georgie comme s'il ne l'avait jamais vraiment regardée.

— Mais vous ne pouvez pas rester cachées ici à longueur de temps, toutes les deux. Ce n'est pas bon pour vous. Georgie, tu n'es pas sortie depuis ton arrivée, pas vrai ? demanda-t-il en lui soulevant le menton de la main. Tu es aussi blanche que du lait. Du lait coupé d'eau, même.

— En effet, elle n'est pas sortie, confirma Lily, qui récolta un regard courroucé de sa sœur.

— C'est bien ce qu'il me semblait. Alors aujourd'hui, je vous emmène voir le défilé. Il y aura des milliers de gens dans les rues, donc il n'y a aucun risque que vous vous fassiez repérer. Vous avez besoin de vous distraire un peu, après tous les efforts que vous avez fournis.

— Le défilé ? Quel défilé ? s'enquit Henrietta.

— En commémoration du couronnement. Chaque année, la reine va en carrosse du palais à la cathédrale pour une action de grâces.

— La reine Sophia ? Tu veux dire que nous pourrions la voir ? demanda Lily, qui n'en croyait pas ses oreilles.

— Oui, bien sûr.

Cette idée laissa Lily pantoise. La reine ! C'était sur les ordres de la reine que leur père avait été arrêté, et emprisonné sans même qu'elles sachent où. C'était la reine que Georgie était censée tuer grâce à un de ces affreux sortilèges qu'elle avait appris au fil des années. La reine était mêlée de très près à leur existence, et pourtant, elles ne l'avaient jamais vue.

Georgie sourit.

— Je vais pouvoir porter mon chapeau.

— Pardon ?

— Mon chapeau. Maria m'en a donné un. Elle m'a aussi offert des fleurs de soie, et elle m'a montré comment les fixer dessus. Il y en a aussi un pour toi, Lily, mais je n'ai pas eu le temps de le décorer...

— Je m'en moque. Tu es donc d'accord pour y aller ?

— Ce serait agréable de prendre l'air, dit Georgie en regardant le décor poussiéreux autour d'elle. Si vous pensez qu'il n'y a pas de danger...

Lily réalisa soudain à quel point le théâtre était sombre. Aucune lumière du jour n'y pénétrait. Il n'était guère étonnant que Georgie soit si pâle.

— Marten ne sait pas où nous sommes, affirma-t-elle avec force. Je l'ai croisée par hasard, c'est tout.

— Parfait ! fit Daniel en frappant dans ses mains. Alors, préparez-vous. Je vous donne cinq minutes, pendant que je vais enfiler ma plus belle veste.

Ils se retrouvèrent devant le théâtre. L'excitation faisait glousser Lily et Georgie, et Henrietta courait après sa propre queue et chassait des mouches imaginaires. Elles allaient enfin se promener, et arborer leurs plus beaux atours !

— Je connais un bon endroit où il n'y a pas trop de monde, expliqua Daniel en hâtant le pas. Dépêchons-nous : le carrosse quitte le palais à dix heures.

Au fur et à mesure qu'ils approchaient des rues plus larges et plus prospères par lesquelles devait passer la procession, la foule commença à se presser autour d'eux.

— Certains dorment sur le trottoir pour avoir les meilleures places. Ils sont moins nombreux qu'autrefois, cela dit. La reine Sophia est assez populaire, mais pas Adélaïde, la reine mère.

— L'épouse du roi Albert, le roi qui a été tué par Marius Grange, c'est ça ?

— Exactement. C'est elle qui déteste la magie. Elle l'a toujours détestée, même avant l'assassinat du roi. Il paraît que c'est elle qui dirige les Hommes de la reine, en réalité. Elle a presque quatre-vingt-dix ans, et elle commence à perdre l'esprit. Ah, écoutez !

Des cris de joie leur parvenaient, ainsi qu'un tintement de grelots et un bruit de sabots.

— Les voici ! dit Daniel en tirant les filles par la main. Venez, montez !

Il saisit Lily par la taille et la déposa, Henrietta dans les bras, sur le socle d'une statue représentant un homme sévère. Lily aurait juré que son air désapprobateur s'accrut quand Georgie et Daniel vinrent la rejoindre, juste à temps pour voir une troupe de gardes à cheval apparaître au coin de la rue.

Les acclamations s'élevèrent autour d'eux : Lily avait presque l'impression de flotter sur un nuage de cris. Un carrosse doré s'avançait. Elle s'agrippa à la botte de la statue pour se pencher en avant, bien résolue à voir la reine. Le véhicule étincelait, et sa fenêtre reflétait le soleil comme un diamant serti dans un bijou en or. Mais au moment où il s'approcha d'elles, un nuage passa devant le soleil, et le reflet disparut. Lily plongea son regard au-dessus de la foule, directement à l'intérieur du carrosse.

Elle ne savait pas à quoi elle s'était attendue. Comment s'était-elle représenté la reine ? Plus imposante ? Hautaine ? *Un peu comme Maman,* réalisa-t-elle soudain avec un petit sourire. En tout cas, pas comme cette dame au visage fin et à l'air grave qui saluait ses sujets avec grâce de la main. Elle portait un lourd manteau de velours au col en fourrure, et un diadème sur ses cheveux fanés ; une tenue qui ne lui allait pas du tout.

— Elle était très belle, autrefois, dit Daniel. Une vraie princesse de conte de fées, paraît-il. Difficile à croire, pas vrai ?

Lily secoua la tête. La reine avait brisé sa famille, et pourtant, elle ne parvenait pas à la haïr. En fait, elle lui trouvait quelque chose de familier, même si elle ne comprenait pas quoi exactement.

Le carrosse arriva à leur hauteur. Au même moment, la reine se pencha pour saluer la foule sur le trottoir d'en face. L'autre passagère apparut alors.

— La reine mère, souffla Daniel. Une vraie toquée.

Lily retint son souffle. Adélaïde était très vieille, très maigre, avec un nez crochu comme un bec d'aigle. Ses yeux avaient eux aussi la férocité d'un oiseau de proie. Elle lui rappela Maman, malgré leurs physiques très différents.

La même détermination, le même sang-froid, la même certitude d'avoir raison brillaient dans ses yeux noirs.

Et soudain, Lily comprit pourquoi elle avait eu l'impression de reconnaître la souveraine. Sophia ressemblait à Georgie, pareillement harassée après avoir passé des années à essayer de satisfaire une mère impossible.

Le carrosse s'éloigna, suivi par une autre compagnie de cavaliers en uniforme, et la foule commença à se disperser, piétinant les drapeaux et banderoles abandonnés par terre. Daniel sauta sur le sol et aida Lily et Georgie à descendre. Ils reprirent lentement le chemin du théâtre, et Lily en profita pour interroger le jeune homme au sujet de la reine.

— Elle ne s'est jamais mariée, n'est-ce pas ? Il n'y a pas de prince consort ?

— Non. Son héritière est sa sœur, la princesse Lucasta.

— Lily...

Un chuchotement derrière elle. Lily s'arrêta net, les jambes flageolantes. Il y avait quelque chose d'horrible dans la voix de Georgie, si basse qu'elle l'avait à peine entendue.

— Qu'y a-t-il ?

Elle passa ses bras autour de sa sœur, qui avait pâli au point de devenir grise, comme une statue de pierre.

— Regarde.

Georgie désignait du menton le trottoir d'en face. Une tache sombre se détachait au milieu des tenues festives de la foule ; une silhouette en noir, qui tournait lentement la tête de droite à gauche.

— Marten, soufflèrent ensemble Lily et Georgie.

Henrietta mordilla les chevilles de Lily.

— Partez ! Mais ne courez pas.

— Qu'y a-t-il ? demanda Daniel.

— Avance. Nous te raconterons plus tard. Doucement, pour éviter de nous faire remarquer.

Lily saisit la main de Daniel, et passa l'autre bras autour de la taille de Georgie pour la contraindre à avancer.

— Il faut retourner au théâtre. Vite !

***

— Alors, que se passe-t-il ? demanda Daniel dès qu'ils franchirent la porte des artistes. Qui était cette femme en noir ?

Ils entrèrent dans son bureau, et Lily échangea un regard avec Georgie en la faisant asseoir dans un vieux fauteuil élimé. Devaient-elles tout lui dire ?

— Oui, affirma Henrietta en touchant son mollet. Dis-lui tout. Je te promets qu'il sent bon. On peut lui faire confiance.

Georgie hocha la tête. Elle regardait ses pieds.

— Il a le droit de savoir ce qu'il cache dans son théâtre. Ce qui pourrait arriver.

Daniel s'accroupit près de Georgie.

— Qu'y a-t-il ? Cela a-t-il quelque chose à voir avec le fait que ta mère t'ait volé ta magie ? Est-ce pour cette raison que tu as si peur d'elle ? Car enfin, j'ai l'impression qu'elle ne veut pas juste que vous reveniez parce que vous lui manquez...

Lily rit, puis plaqua une main sur sa bouche.

— Désolée. Nous la soupçonnons de comploter contre la reine. Georgie a été...

— ... ensorcelée, compléta celle-ci.

— Nous ne savons pas précisément dans quel but. Ça faisait longtemps que Maman était en colère contre Georgie, qui ne réussissait pas à faire ce qu'elle lui demandait. Et nous avons eu peur que Maman l'élimine et commence à m'utiliser à sa place.

Daniel ouvrit la bouche, horrifié.

— T'utiliser pour quoi faire ?

— Nous pensons qu'elle voulait faire de Georgie une arme magique, expliqua Lily, qui ajouta en un souffle : Pour assassiner la reine.

Daniel avala sa salive, avec difficulté.

— Ah. Avec une boule de feu comme celle que Georgie m'a lancée le jour où nous nous sommes rencontrés ?

Tout le monde se tourna vers Georgie, qui secoua la tête, désespérée.

— Je ne sais toujours pas ce que j'ai fait, ce jour-là ! Et en tout cas, je ne l'ai pas fait consciemment. Quelque chose s'est emparé de moi. Oh, Lily, je croyais que nous avions réussi à nous enfuir, mais je suis toujours sous son emprise, n'est-ce pas ? Depuis que nous avons quitté Merrythought, je me sentais de nouveau libre... Mais c'était stupide. Elle me domine encore.

Elle se laissa tomber contre le dossier, le teint toujours gris, les yeux de pierre, et conclut :

— Je ne serai jamais libre.

— Nous briserons le sort ! affirma Lily.

Sa voix était ferme, mais elle ne regardait pas sa sœur. Elle avait peur que son visage ne trahisse ses doutes. Georgie ne pouvait maîtriser sa propre magie, et Lily ne connaissait presque aucun sortilège. Comment auraient-elles pu tenir tête à une magicienne aussi douée que leur mère ?

— Peut-être que, si nous trouvions Papa, il saurait le faire...

— Il faut juste que nous nous cachions mieux. (Georgie contempla ses mains comme si elle les détestait.) Si seulement je pouvais me débarrasser de mes pouvoirs ! Maman ne s'intéresserait plus à moi... Si nous n'avions plus de pouvoirs ni l'une ni l'autre, Lily, nous ne lui serions plus utiles à rien. Et elles ne nous retrouveraient jamais, ni Maman, ni Marten. Je suis sûre que c'est notre magie qui attire Marten.

— Ne pourriez-vous pas vous déguiser avec un de ces charmes, comme la première fois que je vous ai vues ? suggéra Daniel.

Les yeux de pierre de Georgie s'adoucirent en se remplissant de larmes.

— Tu ne comprends pas. C'est notre magie qu'elle suit. Je crois qu'elle peut la sentir, surtout la mienne, qui a été formée – *dé*formée ! – par Maman. Elle connaît son odeur. (Elle se frotta les mains avec rage.) Si seulement je pouvais l'arracher ! Lily, tu dois m'aider. Et il faudrait que tu t'en libères, toi aussi. Comme ça, même si elle nous retrouvait, Maman ne voudrait plus de nous !

— Nous ne pouvons pas nous en débarrasser, Georgie. Et même si nous pouvions, je refuserais. Elle vient juste d'apparaître en moi, et j'adore ça ! Elle m'appartient. C'est une partie de moi !

— Moi aussi, je ressentais ça, autrefois...

Les larmes coulèrent des yeux de Georgie, et Lily la serra contre elle.

— Quand nous aurons brisé le maléfice, tu le ressentiras à nouveau. Pour l'instant, n'utilise pas ta magie, tout simplement. C'est plus sûr.

— Nous vous protégerons, promit Daniel en regardant férocement autour de lui, comme s'il s'attendait à ce que Marten se matérialise derrière un rideau. Je ne laisserai personne vous enlever !

***

Lily regardait d'un œil critique Georgie s'élever dans les airs. Daniel avait convaincu Maria, à force de cajoleries, de lui confectionner une nouvelle robe à la dernière minute, et le tissu retombait et ondulait de chaque côté de son corps, ce qui faisait étinceler les petites étoiles d'argent cousues dessus.

Daniel la fit monter de plus en plus haut, avec force mouvements de ses longs doigts.

— Elle est au maximum, Mr Daniel ! cria une voix forte derrière le rideau.

Les gestes incantatoires de Daniel s'arrêtèrent abruptement.

— Parfait. De toute façon, si elle grimpait encore, je ne pourrais plus l'atteindre. Lily, rappelle-moi que je dois parler au Signor Lucius au sujet de la musique ; le mécanisme grince un peu, donc par précaution, il faudra que les flûtes jouent à ce moment-là.

— Puis-je redescendre ? demanda plaintivement Georgie. Cette planche est dure... comme du bois !

Ils avaient répété ce nouveau tour depuis que Sam avait fini de construire le mécanisme, le lendemain de la parade du Couronnement et de leur rencontre avec Marten. Lily et Georgie s'étaient jetées dans le travail à corps perdu, contentes d'avoir d'autres sujets de préoccupation, mais au bout de deux jours passés à faire semblant d'être en transe, Georgie commençait à se lasser.

— Comment vas-tu prouver qu'il n'y a rien qui la soulève derrière le rideau ? demanda Lily. Je ne pense pas que ce sera difficile à deviner...

— Ha ha !

Daniel alla en coulisse et en revint avec un grand cerceau, semblable à ceux que des petits garçons faisaient rouler dans le parc où Lily allait parfois faire un tour.

— Tu vas voir ! Oh, et ce soir, Lily, quand je claquerai des doigts, apporte-le-moi, d'accord ? Alors, regarde. Rappelle-toi que le public ne sait pas que nous avons avancé le dernier rideau ; les gens croiront que c'est l'arrière de la scène. Vois-tu ce cerceau ?

Il le leva et le passa d'une main sûre autour de Georgie, tout en posant ses yeux sombres et expressifs sur un public imaginaire.

Lily s'approcha, perplexe.

— Recommence !

Daniel rit, et passa encore une fois le cerceau autour de la robe flottante de Georgie.

— Dépêchez-vous ! se plaignit cette dernière. Je suis en train d'attraper un torticolis !

— Alors, tu as compris ?

— Il y a un trou dedans, pour laisser passer la barre ? demanda Lily en examinant le cerceau, suspicieuse.

— Non ! Mais si c'est ce que tu as pensé, je devrais peut-être le faire circuler tout d'abord dans l'assistance, pour que les gens s'en assurent. (Il griffonna une note pour lui-même.) Maintenant, regarde bien !

— Oh ! rit Lily, impressionnée. Cette fois, j'ai vu. C'est vraiment malin, Daniel. J'aurais juré que tu l'avais passé tout autour d'elle !

Daniel s'inclina.

— Oui, oui, je suis désolé, Georgie. Fais-la redescendre, Sam. Alors, vous pensez que ça conviendra, comme clou du spectacle ?

Georgie se rassit en se massant les épaules.

— On croirait vraiment que je flotte dans les airs ?

— Oui, confirma Lily. C'est très impressionnant. Et ce sera encore mieux avec la musique et la fumée artificielle, j'imagine. Mais Daniel, si ce numéro clôture le spectacle, que vont devenir Lydia et sa chanson de fée ?

Daniel se mordit la lèvre inférieure.

— Mmm. C'est ma prochaine besogne. Annoncer à Mrs Lacey que, selon les termes du contrat, Lydia doit chanter la dernière chanson... et c'est bien ce qu'elle fera. (Il sourit malicieusement à Lily.) Après tout, je ne chante pas, et toi non plus, pas vrai ?

— Elle va te hacher menu comme chair à pâté !

C'était une des expressions préférées du jeune apprenti de Sam, Ned ; et Lily, qui la trouvait drôle, l'avait adoptée.

— Bah ! Vu les réactions du public et les critiques de ces trois derniers jours, elle n'a aucun argument soutenable.

C'était vrai, mais Lydia et sa mère ne l'admettraient jamais. Lily décida qu'après la représentation de ce soir, elle demanderait à Georgie de lui apprendre à réaliser un sortilège de protection. Maria leur avait raconté des anecdotes horribles sur des rivalités d'artistes, un jour où elle avait trouvé Georgie en larmes, car Lydia venait de dénigrer méchamment ses talents de danseuse. Lily n'avait pas l'intention de laisser l'occasion à Lydia de pratiquer un de ces mauvais tours. Elle la croyait tout à fait capable d'enfoncer une aiguille dans le pinceau que Georgie utilisait pour appliquer du fard, et de feindre de compatir ensuite quand celle-ci se grifferait la joue.

— Dépêchons-nous. Nous devons libérer la scène. J'ai dû faire sortir tout le monde pour répéter, et les autres s'agitent. Ils veulent que nous fassions un dernier filage avant ce soir.

Un large sourire forcé se plaqua sur le visage de Daniel quand il vit une grosse silhouette foncer dans l'allée centrale comme un rhinocéros – dans un corset.

— Mrs Lacey ! Je voulais justement vous parler...

***

Lily courut gracieusement – aussi gracieusement que possible, en tout cas – sur la scène avec le cerceau, qui avait été peint en argent pour l'occasion, et le tendit à Daniel. Le garçon avança vers les spectateurs en le faisant tourner dans ses mains pour prouver à quel point il était solide. Puis il revint auprès de Georgie, qui avait l'air de flotter au-dessus de lui, endormie, et fit semblant de passer le cerceau autour de son corps. Lily sourit. À présent qu'elle savait comment il s'y prenait, le truc lui paraissait évident ; mais le public poussait des exclamations émerveillées. Les spectateurs étaient convaincus que Daniel avait fait léviter la Princesse des Neiges, et des chuchotements excités coururent dans les rangs. C'était encore mieux que la disparition de l'autre fille dans la cabine !

Toujours très grave en dépit d'une forte envie de rire, Daniel se mit à faire des passes pour faire redescendre Georgie, tandis que Lily s'agenouillait et essayait de paraître abasourdie. Elle était donc suffisamment proche du mécanisme pour entendre le petit craquement qui résonna soudain. Daniel le perçut, lui aussi. Elle vit ses mains tressaillir, et il jeta un coup d'œil vers le rideau pour essayer de comprendre ce qui se passait, les sourcils haussés presque jusqu'à la racine des cheveux. Le pied de Georgie frémit, et elle glissa en avant de quelques pouces. Lily comprit soudain, horrifiée, qu'elle était en train de tomber, même si les spectateurs crurent simplement que c'était un effet du sortilège de Daniel. Ce dernier redoubla ses gestes incantatoires et souffla à Sam, caché derrière le rideau :

— Fais-la descendre, vite !

— La poutre est en train de craquer ! Quelqu'un l'a à moitié sciée ; si je vais plus vite, elle va se casser !

Georgie restait presque parfaitement immobile, les bras croisés au-dessus de sa poitrine, mais Lily la vit battre des paupières et devina qu'elle s'affolait. Devait-elle risquer de chuter, et ruiner l'illusion pour laquelle elle avait travaillé si dur, ou utiliser un peu de magie pour se sauver ? Georgie adorait son rôle de Princesse des Neiges. S'écrouler devant la salle comble l'aurait ridiculisée. Et aurait dévoilé le truc.

Et si son sortilège tournait mal ? Si Georgie faisait exploser le bâtiment entier, cette fois, et non juste un fauteuil ? Par ailleurs, combien de magie pouvait-elle utiliser avant que Marten ne retrouve leur trace ?

Un faible miroitement argenté commença à rayonner le long des jupons de gaze : Georgie était sur le point de jeter un sort pour consolider la poutre. Lily croisa le regard horrifié d'Henrietta, et comprit qu'elle ne pouvait pas prendre ce risque.

Elle se leva – elle dut s'obliger à ne pas aller trop vite – et rejoignit Daniel. Une fois près de lui, elle imita ses gestes, faisant mine d'ajouter sa propre énergie à la sienne, comme si le sortilège était si difficile qu'il avait besoin d'aide.

— Georgie, je m'en occupe ! chuchota-t-elle.

Pendant une seconde, le scintillement argenté s'effaça, puis s'intensifia lorsque Lily scella la poutre fendue avec une telle force que personne ne pourrait sans doute plus jamais la couper. Chaque fibre du bois se rappela l'arbre d'où il venait, et s'attacha aux autres comme dans le chêne le plus solide.

Les spectateurs soupirèrent d'aise lorsque le nuage argenté rejoignit la fumée artificielle que Ned envoyait à travers le rideau. Georgie toucha le sol et se laissa tirer de son hypnose en lançant à peine un coup d'œil furieux à Daniel.

Puis ils coururent ensemble sur le devant de la scène et saluèrent, encore et encore, pendant que le public applaudissait à tout rompre. Mais Lily était trop furieuse pour apprécier le tonnerre d'acclamations et d'ovations. Elle n'avait qu'une envie : quitter les planches au plus vite, et aller tordre le cou à un petit rossignol de sa connaissance.

12

Lydia était debout dans les coulisses, le teint gris sous le maquillage. Lily avait eu l'intention de... de... elle ne savait pas quoi, exactement, mais une chose était claire : Lydia aurait passé un mauvais quart d'heure. Cependant, le choc qu'elle lut sur le visage de la jeune chanteuse lui fit reprendre ses esprits. Elle agrippa le collier d'Henrietta, qui grondait rageusement.

Lydia n'avait jamais cru que leur numéro faisait appel à de la vraie magie. Mais à présent qu'elle avait vu Lily sauver Georgie, elle savait que sa rivale avait utilisé des pouvoirs surnaturels – car c'était elle qui avait saboté l'engin.

Georgie prit Lily par le bras et la tira en arrière.

— Qu'allons-nous dire ? chuchota-t-elle.

Lily l'embrassa, à la fois pour témoigner son soulagement qu'elle n'ait pas été blessée et pour pouvoir lui parler à voix basse :

— Je pense qu'elle a deviné. Mais nous ne pouvons pas l'admettre. Il va falloir faire comme si c'était un accident, et comme si nous avions eu de la chance que tout se termine bien.

Elle leva les yeux vers Daniel, qui arrivait derrière elle. Il fulminait intérieurement, mais il acquiesça. Il se hâta de déplisser son front pour prendre un air inquiet et saisit Georgie par les épaules.

— Georgie ! Tout va bien ? Je ne comprends pas ce qui s'est passé, il devait y avoir un défaut dans la machine. Je suis terriblement navré !

Georgie secoua la tête et s'appuya contre lui. Elle avait l'air fragile et effrayée, à mille lieues d'une redoutable magicienne. Lily comprit que c'était parce qu'elle ne savait pas quoi dire, mais son apparence fut trompeuse. Toutes les femmes s'empressèrent autour d'elle, et elle fut bien vite emmenée par Maria et par Mrs Hopkins, la femme-éléphant, pour une tasse de thé réconfortante.

Sam sortit de derrière les rideaux en compagnie de Ned, son apprenti. Ce dernier semblait frappé d'effroi, et devint presque vert lorsque Lily le dévisagea. Sam se mit à rugir :

— Quelqu'un a scié...

Mais Daniel passa un doigt sur ses lèvres, si vite que Lily ne le remarqua que parce qu'elle le regardait. Sam cligna des yeux, et se reprit :

— Le marchand de bois va m'entendre ! Ce maudit... Oh, pardon, il y a des dames ici.

Daniel hocha la tête.

— En effet. Nous avons eu de la chance. Il va falloir faire en sorte que cela n'arrive plus jamais.

Il était d'ordinaire si doux et aimable que son ton glacial ébranla Lily. Elle s'approcha de Sam, si rassurant avec sa corpulence d'ours. Sam la scruta pendant quelques secondes, un peu incertain, puis il la serra contre son gilet de veloutine.

Il a tout deviné, comprit Lily, dont le cœur bondit dans sa poitrine. *Il sait que j'ai utilisé de la vraie magie pour sauver Georgie. Mais il s'en moque. Il m'aime bien quand même.*

Elle pouvait à peine tenir debout. Elle était si fatiguée qu'elle avait l'impression que ses os étaient en train de fondre. Pourtant, elle s'obligea à garder les yeux ouverts. Qu'allaient-ils faire de Lydia ? Elle aussi était au courant, désormais, et sa mère avec elle. Toutes les deux s'étaient éclipsées.

Lily regarda autour d'elle. Il n'y avait presque plus personne ; seuls les accessoiristes étaient encore occupés à ranger, nettoyer, préparer le décor pour la représentation du lendemain. Ned traînait dans un coin et remuait des cordes, toujours aussi pâle et accablé.

— Il a le béguin pour elle, murmura Sam. J'imagine qu'elle lui a donné un baiser. Petit crétin.

— Vous voulez dire que c'est Ned qui a scié la planche ?

Cette idée décevait beaucoup Lily. Elle avait toujours apprécié Ned, souvent drôle, et généreux envers Henrietta à qui il donnait des bouts de sandwich.

Daniel fit un pas vers Ned, babines retroussées, comme un loup.

— Non ! protesta Sam en l'attrapant par la veste. Bien sûr que non. Si je croyais une chose pareille, je l'aurais envoyé valser jusqu'au milieu de la rue. Mais je parie qu'il lui a laissé voir le mécanisme. *Oh, Ned, c'est un tour tellement formidable ! Tu veux bien me montrer comment ils font ?*

Cette dernière phrase avait été prononcée d'une voix perçante et minaudière qui ressemblait étonnamment à celle de Lydia, surtout venant de quelqu'un d'aussi gros que Sam.

— Il m'a aidé à le construire, vous savez, poursuivit-il. Mr Daniel voulait que la machine soit prête le plus vite possible...

Henrietta grogna, tournée vers le pauvre garçon, qui évitait soigneusement de regarder dans leur direction.

— Ne le renvoyez pas, supplia Lily. C'est Lydia la coupable, pas lui. As-tu vu où elle est allée, Daniel ? Je me demande ce qu'elle va faire. Elle ne peut en parler à personne, bien sûr : la seule raison pour laquelle elle sait que la poutre aurait dû se briser, c'est qu'elle l'a sabotée elle-même. Elle ne va pas s'en vanter, pas vrai ?

— Je ne sais pas. Probablement pas ici, au théâtre. Mais si elle prétend qu'elle avait des doutes avant, et qu'elle a juste voulu nous mettre à l'épreuve...

— Oh ! je vois. Tu as raison. Elle va nous dénoncer, alors ?

Son cœur se mit à tambouriner dans sa poitrine, et elle jeta des regards à droite et à gauche, comme un animal pris au piège. La magie en elle s'agitait également, de plus en plus au fur et à mesure que sa lassitude passait et que son énergie revenait. Elle aurait pu l'utiliser pour s'enfuir, mais ensuite, leur mère n'aurait plus été la seule à la rechercher... Elles auraient été traquées comme des proies.

Les ouvreurs avaient déjà mis la barre devant la porte principale, mais des coups résonnèrent, et Daniel grimaça.

— Déjà ? C'était rapide. Je me demande à qui elle s'est adressée.

— C'est eux ? glapit Lily.

— Ne t'en fais pas, ma jolie, murmura Sam en se plaçant en rempart devant elle. Personne n'écoutera cette petite peste.

Mais malgré ses efforts, il ne parvenait pas à cacher son inquiétude. Il tira sur la corde qui ouvrait le rideau. Trois hommes apparurent, remontant l'allée entre les sièges : deux en uniforme noir, et un autre vêtu d'un pardessus élégant. Ils grimpèrent sur scène, suivis par un des ouvreurs qui lança un regard d'excuse à Daniel.

— Que se passe-t-il, Alfred ? demanda Daniel en s'approchant. Y a-t-il eu un vol de commis ?

— Non, Mr Daniel. Mais ces messieurs veulent vous parler, ainsi qu'à Miss Georgie et Miss Lily. Au sujet de votre numéro...

— Vraiment ?

Daniel lança aux policiers un regard perplexe qui remplit Lily d'admiration. Il avait été acteur avant d'hériter le théâtre de son oncle, et elle découvrait qu'il avait dû être très doué.

— Ned, peux-tu aller chercher Miss Georgie, s'il te plaît ?

Ned partit en direction des loges, plus malheureux que jamais. Les deux policiers demeurèrent debout au milieu du plateau, mal à l'aise ; les accessoiristes continuèrent à travailler autour d'eux avec des grognements irrités. Pendant ce temps, l'homme élégant se promenait un peu partout, et examinait la plate-forme de Georgie et la Cabine du Démon avec un intérêt tout particulier.

— Voulez-vous que je vous montre quelque chose ? demanda Daniel, prévenant.

— Non, merci. J'attendrai que les deux demoiselles soient là.

La voix de l'homme était légère, douce, aristocratique. Il jeta un coup d'œil dans la salle, et Lily s'aperçut avec une colère renouvelée que Lydia et sa mère venaient de revenir. Lydia avait ôté son maquillage, et portait une de ses tenues les plus sobres, un costume de marin qui, pour une fois, ne la vieillissait pas. Elle avait dû penser qu'elle aurait l'air plus innocente ainsi.

Georgie revint. Ned n'avait pas dû se montrer discret, car la moitié des acteurs la suivaient. Ils s'agglutinèrent dans les coulisses, les yeux fixés sur les policiers et l'officier, qui sembla un peu décontenancé. Georgie se posta près de Lily et lui prit la main.

— Que se passe-t-il ? Ned m'a juste dit que la police était là.

— Miss Georgie Lancing ? demanda l'homme en pardessus.

Comme elles se faisaient passer pour des cousines de Daniel, elles avaient emprunté son nom de famille. Georgie acquiesça, inquiète.

— Miss Lily Lancing ? Et Mr Daniel Lancing ?

Daniel se redressa de toute sa taille, largement supérieure à celle de l'officier, un homme petit et mince. Mais ce dernier ne se laissa pas troubler.

— Je m'appelle Edward Hope. Je représente Sa Majesté, la reine Sophia, lors de certaines commissions spéciales à la recherche de pratiques illégales.

— C'est un des Hommes de la reine ! chuchota quelqu'un en coulisse.

La nouvelle circula dans la foule, et un sifflement s'éleva. Edward Hope eut un léger sourire,

comme s'il avait eu affaire à des enfants tur-
bulents, et fit mine de ne pas s'en apercevoir.

— Nous avons reçu une... une plainte. Au
sujet de votre théâtre, Mr Lancing, et de votre
propre numéro en particulier.

Daniel sourit à son tour.

— Je me demandais quand vous viendriez
me rendre visite. Je suppose qu'il faut prendre
ça pour un compliment, pas vrai, les filles ?

Lily essaya d'avoir l'air amusée, elle aussi,
mais elle était bien moins bonne actrice que lui.

— Vous niez, donc, tout usage de pratiques
illicites ?

— De magie, vous voulez dire ?

Daniel rit, tendit le bras, et tira le mouchoir
du gilet de Mr Hope. Il agit si vite que Mr Hope
n'eut pas le temps d'intervenir ; interloqué, il
regarda une ribambelle de mouchoirs colorés
sortir de sa poche. Henrietta bondit pour les
attraper et s'enfuit avec, avant de revenir les lui
restituer, debout sur ses pattes arrière.

— Vous voyez ? Des doigts agiles, Mr Hope.
Et un chien bien dressé. Aucune magie.

Daniel lui rendit son vrai mouchoir. Edward
Hope se baissa pour caresser Henrietta.

— Un animal très intelligent. Mais ce
qu'on m'a raconté avait une autre ampleur,

Mr Lancing. Une fille s'élevant dans les airs ?
Une de ces demoiselles ?

— Moi, chuchota nerveusement Georgie.

— Ma jeune assistante a été victime d'un choc, ce soir. Notre mécanisme a failli se casser ; elle aurait pu être blessée. C'était une nouvelle illusion, que nous réalisions en public pour la première fois. L'apogée de notre art ! Une expérience très désagréable, vraiment. (Il soupira.) De plus, je crains que l'appareil n'ait été saboté. Quelqu'un a scié une poutre.

Il y eut un murmure furieux parmi les acteurs, et plusieurs d'entre eux adressèrent un regard incendiaire à Lydia.

— Bref, Mr Hope, je suis désolé que votre temps ait été gaspillé par une personne jalouse et malhonnête.

— Vous soutenez donc qu'il n'y a aucune magie dans vos... illusions, comme vous les appelez ?

— C'est ce qu'elles sont, Mr Hope. Nous conduisons les spectateurs à voir quelque chose qui n'est pas réel. Ou, plus souvent encore, à ne pas voir quelque chose qui l'est ! Comme dans ce tour qui a failli mal se terminer. Georgie, ma chère, aurais-tu le courage de faire une démonstration à Mr Hope ?

— C'est sans danger ? demanda Georgie, hésitante.

Lily vit à quel point elle était effrayée. Ses yeux étaient devenus violets. L'état de sa sœur inquiéta soudain Lily bien plus que tous les Hommes de la reine. Si Georgie avait peur, réussirait-elle à dominer sa magie ?

— Fais-moi confiance... En fait, précisa Daniel en s'apercevant qu'il n'y avait plus aucune trace de cassure sur la pièce de bois, j'ai demandé à Sam de remplacer la poutre immédiatement. Je comptais te prier de répéter dès que tu serais remise de tes émotions. Je sais que ça semble cruel, Mr Hope, mais nous devons tous souffrir pour notre art... En voyant notre numéro de tout près, vous comprendrez mieux le trucage, mais je vous assure que quand on est assis dans la salle, c'est très convaincant.

Daniel s'inclina, et prit Georgie par la main pour l'amener vers le centre de la scène. Il agita ses mains devant son visage, et elle fit mine de tomber dans une transe profonde. Avec des gestes saccadés, comme une poupée mécanique, elle s'allongea sur le sol, sa robe étalée autour d'elle, et Daniel commença à faire des passes pour la faire s'élever. On entendit un grincement, léger, mais audible, et il adressa une grimace d'excuse à l'officier :

— La musique couvre toutes sortes de méfaits, Mr Hope... Lily, le cerceau, s'il te plaît. Concentre-toi.

Lily, qui observait Georgie, l'entendit à peine. Sa sœur laissait-elle ses bras pendre ainsi, d'habitude ? Elle avait presque l'air morte...

Henrietta courut vers l'arrière de la scène et revint en traînant le cerceau. Mr Hope se mit à rire. Il aimait les chiens, ce qui pouvait jouer en leur faveur ; Lily reprit espoir. Mais Georgie ne semblait même plus respirer !

— Ma jeune assistante feint à merveille d'être sous hypnose, n'est-ce pas ? demanda Daniel en jetant un regard inquiet à Lily. À présent, je passe le cerceau autour de son corps, pour démontrer qu'elle est suspendue dans l'air, sans aucun lien avec le sol... Avez-vous vu, Mr Hope ? La manière dont j'ai retourné le cerceau pour éviter la poutre ?

— Il s'agit d'une simple poulie, en fait ? Et sa robe cache la planche sur laquelle elle est étendue... Très ingénieux, Mr Lancing. On y croirait.

— Surtout quand on y ajoute la musique, et la fumée... Je suis navré, Mr Hope, mais je crains qu'on ne vous ait fait perdre votre temps.

Mais Edward Hope regardait Georgie, le front plissé. Il prit une de ses mains, la souleva, et la lâcha. Elle retomba comme une pierre.

— Miss, réveillez-vous !

Georgie ne réagit pas.

Et elle ne réagirait pas, comprit Lily qui courut auprès d'elle. Terrifiée par le sabotage de tout à l'heure et par l'arrivée de la police, Georgie avait disparu en elle-même, encore une fois. Sa magie dénaturée l'avait enfermée. Dans cet état, qu'allait-elle faire ?

— Elle s'est évanouie ! cria Lily à Daniel. Elle a eu peur. Tu sais bien qu'elle est si sensible !

Elle le regardait fixement, espérant qu'il comprendrait.

— Oh, non. Maria ! Venez nous aider, s'il vous plaît.

La costumière se hâta vers eux.

— Miss Georgie s'est encore évanouie. Désolé, Mr Hope. Elle est malheureusement coutumière du fait. Un tempérament passionné, sans compter qu'elle était encore sous le choc après l'incident de tout à l'heure... Sam !

Le gros visage barbu se montra à travers les rideaux, offrant à Hope une vue complète du mécanisme. Daniel grimaça.

— J'espère que je peux vous faire confiance et que vous ne révélerez pas nos trucs à d'autres théâtres, Mr Hope... Sam, pouvez-vous porter Miss Georgie dans sa loge ? Elle a eu un nouveau malaise.

— Tsk, tsk... Pauvre petite.

Il la souleva dans ses bras robustes et commençait à s'éloigner avec elle quand un cri s'éleva de la salle :

— Non !

Lydia était debout devant la première rangée de sièges.

— C'est une comédie ! Ils vous mentent ! Tout à l'heure, Lily a fait de la magie. La plus jeune, je vous ai dit ! Elle est forcément intervenue : j'avais presque entièrement scié...

Sa voix mourut dans sa gorge quand Sam s'avança vers elle. Il ressemblait plus que jamais à un ours.

— C'était vous, alors ? Vous qui avez voulu casser ma machine ? Vous auriez pu la tuer !

— Petite vipère, cracha Maria. Elle est juste jalouse, voilà tout, parce que Miss Georgie a eu son portrait dans les journaux.

— Je vous interdis de parler comme ça à ma Lydia ! cria Mrs Lacey en secouant son double menton. Ma petite fille à la voix d'ange, jalouse d'une vulgaire mystificatrice ?

Plusieurs artistes s'avancèrent à grands pas pour lui dire ce qu'ils pensaient d'elle. La dispute se généralisa, et Daniel secoua tristement la tête.

— Tout le monde est si nerveux !

— Hum. (Mr Hope recula précautionneusement, comme s'il craignait que quelqu'un ne salisse ses chaussures.) On dirait en effet que ce n'était qu'un... malentendu. Mais faites bien attention, n'est-ce pas, Mr Lancing ? Votre numéro est aux limites de la légalité...

Daniel acquiesça, et Lily retint son souffle pendant que Mr Hope redescendait les marches, suivi par les deux policiers, et sortait du théâtre. Enfin, elle se retourna vers Georgie et lui tapota les mains, mais quelqu'un la poussa sur le côté.

— On lui a jeté un sort ! J'en suis sûre ! Personne ne s'en rend compte, ou quoi ?

Lydia prit le visage de Georgie entre ses mains et la gifla, fort.

— Je t'interdis de faire ça ! cria Lily en se précipitant vers elle.

Mais Sam arriva le premier, et repoussa Lydia d'un revers de la main, comme une mouche. Il contint sa colère – s'il y avait cédé, il l'aurait envoyée rouler à l'autre bout de la scène –, mais même ainsi, elle tomba à la renverse, dans un nuage de jupons.

— Oh ! cria-t-elle.

Pleurant de dépit, elle partit en courant vers les coulisses.

— Attention ! Miss Lydia !

Ned se précipita derrière elle, mais trop tard. Elle avait déjà tiré sur la corde qui s'était enroulée autour de sa cheville et l'avait fait trébucher ; tiré de toutes ses forces, dans sa hâte de s'éloigner de ces regards, de ces chuchotements, de ces accusations.

La barre de métal sembla choir très lentement. Lily la vit tournoyer presque avec grâce vers l'endroit précis où était tombée Lydia, qui avait levé les yeux, paralysée.

Daniel s'élança, tout comme une demi-douzaine d'autres personnes, mais aucun n'avait la moindre chance d'arriver à temps. Sam tendit désespérément un bras, l'autre soutenant toujours Georgie.

Soudain, la barre disparut, et une pluie de minuscules parcelles incandescentes saupoudrèrent la scène avant de s'éteindre, recouvrant tous les costumes d'une fine couche de poussière noire.

Lily sourit de soulagement, provisoirement libérée de la pression que la magie exerçait en elle. Contre l'épaule de Sam, Georgie lui rendit son sourire, tout étourdie : elle s'était réveillée de sa transe au moment où Lily avait saisi sa magie et l'avait projetée vers la barre en même temps que la sienne. Une fois de plus, sa sœur ne savait pas ce qui s'était passé pendant sa syncope, se dit Lily. Son sourire s'effaça. La troupe entière les avait vues sauver Lydia, et Edward Hope ne devait être qu'à une rue de là, peut-être un peu plus, si une voiture l'avait attendu devant la porte ; en tout cas, il ne faudrait que cinq minutes pour le rattraper.

Elle mesura du regard la distance qui la séparait de la sortie, et sentit Henrietta qui se frottait contre sa jambe. Pouvaient-elles s'enfuir ? Non. Faire exploser le métal l'avait vidée de ses forces. Elle n'avait pas utilisé un sortilège précis, elle avait simplement projeté son énergie et celle de Georgie vers la barre meurtrière. Il ne lui restait plus rien, pour un bout de temps.

Elle jeta un regard d'excuse à Daniel, qui demeurait immobile, blême.

Alfred Sanderson, le cycliste acrobatique, fut le premier à s'avancer. Lily se recroquevilla. C'était lui qui avait complimenté Henrietta sur son talent comique. Qu'un homme aussi gentil soit le premier à leur jeter la pierre la désolait encore plus.

Mais Alfred passa les yeux sur la foule silencieuse, secoua la tête, et alla aider Lydia à se relever.

— Vous devriez faire attention, Miss. Vous pourriez vous faire mal, à courir comme ça sans regarder où vous allez. Et s'il y avait eu quelque chose au bout de cette corde, hein ? Ça aurait pu être grave.

Ses frères l'approuvèrent, et le plus jeune ajouta :

— Ça aurait été bien fait pour elle, cela dit. La petite teigne. J'espère que vous n'avez pas l'intention de la garder à l'affiche, Mr Daniel ?

Daniel secoua lentement la tête, la bouche à moitié ouverte. Enfin, il se ressaisit, et se tourna vers la mère de Lydia, qui se tenait au bord de la scène, livide.

— Votre contrat est terminé. Je vais vous payer jusqu'à la fin du mois.

Elle eut l'air de vouloir protester, mais il avança vers elle en rugissant :

— Et vous avez de la chance que je ne vous fasse pas un procès pour diffamation ! Sortez de mon théâtre, et emmenez cette sale gamine avec vous !

Un chemin s'ouvrit sur la scène : tout le monde avait reculé pour laisser passer Lydia et sa mère, qui s'enfuirent, tête basse. Les autres les suivirent lentement, un à un, en caressant Henrietta au passage, ou en pinçant affectueusement la joue de Lily. Enfin, les filles demeurèrent seules avec Daniel.

Lily serra sa sœur contre elle.

— J'ai eu si peur !

— Moi aussi. Oh, Lily, je ne sais pas si nous pouvons rester ici. C'est trop dangereux. Nous devons essayer de trouver Papa, pour qu'il m'aide à me débarrasser de ce que Maman a mis en moi. Sinon, je risque de... de faire du mal à quelqu'un... Mais où pouvons-nous aller ?

— Je ne sais pas. Je commençais juste à me sentir chez moi, ici... dit tristement Lily.

Daniel soupira.

— Ne me dites pas que je viens de chasser le Rossignol d'Argent, et que vous allez partir !

— Nous t'aiderons à former deux filles du ballet, promit Lily. Elles le feront volontiers, maintenant qu'elles savent à quel point tu as du succès. Elles seront sans doute encore meilleures que nous. Et nous inventerons de nouveaux tours. Mais tu comprends que Georgie a raison, pas vrai ? Nous devons partir. Nous ne pouvons pas risquer de faire revenir les Hommes de la reine. Toi non plus, d'ailleurs. Ce Mr Hope avait encore des soupçons.

— Et si nous allions à l'étranger ? proposa Henrietta en courant en cercle autour d'eux, tout excitée. J'ai toujours eu envie d'aller sur le continent.

— La magie n'est pas interdite dans les autres pays, réfléchit Daniel. Vous y seriez peut-être mieux, même si je déteste l'idée que vous partiez si loin. Mais comment allez-vous vous y rendre ? Vous ne pouvez pas prendre le bateau toutes seules...

— Lily ! s'exclama soudain Georgie. Nous avons oublié Marten !

Lily ne réagit pas pendant quelques secondes, encore tellement concentrée sur les événements récents qu'elle comprit à peine ce que disait Georgie. Cette dernière l'attrapa par le bras et la secoua :

— Toute cette magie que nous avons utilisée pour sauver Lydia ! Elle va réussir à trouver où je suis, j'en suis certaine. Nous devons sortir d'ici. Tout de suite !

— Mais où ? Tu... tu crois que nous pourrions de nouveau nous cacher dans le musée ?

— Commençons par filer, ordonna Henrietta en galopant vers la porte, puis en revenant pour tirer Lily par l'ourlet de sa robe. Venez, vite !

— Je vais vous accompagner, décida Daniel. Nous irons chez ma sœur. C'est assez loin du théâtre. À moins que vous ne laissiez des traces ? J'avoue que je ne connais rien à ces choses-là...

— Nous non plus ! admit Lily avec un demi-sourire. Allons-y.

Ils se hâtèrent de sortir dans l'allée à l'arrière du théâtre, et Daniel partit à grands pas :

— Je vais chercher un fiacre.

Lily hocha la tête avec reconnaissance. Elle s'apprêtait à se retourner vers sa sœur pour lui dire qu'elles avaient bien de la chance de l'avoir comme ami, quand un petit bruit étranglé frappa son oreille. Henrietta se mit à aboyer comme une folle.

Faisant volte-face à son tour, Lily découvrit Georgie happée par un bras noir, en train d'essayer de se libérer de la main gantée de noir qui lui couvrait la bouche.

— Marten !

Lily se jeta en avant pour aider sa sœur, mais la créature émit un sifflement d'avertissement, et Lily recula, horrifiée, en remarquant que des griffes transperçaient les gants et égratignaient la gorge de Georgie.

En entendant son exclamation, Daniel était revenu à toute allure. Lily comprit qu'il allait foncer sur Marten, et elle le retint.

— Non ! Regarde les griffes. Marten va la déchirer en morceaux si nous intervenons. Georgie, défends-toi ! Jette-lui un sort ! Tout de suite !

— Je ne peux pas ! gémit sa sœur, qui avait réussi à repousser la main qui la bâillonnait. Je ne connais que les affreux sortilèges de Maman, c'est trop dangereux !

— Tant pis ! Si tu la laisses t'emmener, ce sera pire !

Georgie ferma les yeux, et Lily poussa un hurlement de rage. Elle ne pouvait pas renoncer à lutter ! Mais elle comprit qu'en fait Georgie était simplement en train de se concentrer. Un nuage se dessinait autour d'elle et de Marten, formé de poussière. De la poussière londonienne, montée des pavés trop secs, qui se transformait lentement en créature... *Trop* lentement. Lily enfonça ses ongles dans sa peau.

— Vite, Georgie... chuchota-t-elle.

Marten s'agitait derrière son voile. Quelles instructions lui avait-on données ? Était-elle autorisée à tuer Georgie ? Manifestement pas. Au lieu d'enfoncer ses griffes dans le cou de la jeune fille, elle se mit à tirer Georgie en arrière, vers une flaque de ténèbres bizarrement opaque dans l'ombre d'un escalier métallique.

— Elle te ramène chez Maman ! cria Lily. Dépêche-toi !

La forme grise que sa sœur avait créée devenait de plus en plus rose. Lily eut un haut-le-cœur en comprenant que le sortilège de Georgie lui volait son sang pour se renforcer.

— Qu'est-ce que c'est que ce truc ? s'effraya Daniel.

— Un monstre, répondit Henrietta.

À présent, on pouvait le distinguer plus nettement. C'était un loup, un énorme loup gris-rose aux babines dégoulinantes du sang de Georgie. Mais ce monstre fit ce qu'on attendait de lui. Il bondit vers Marten et lui lacéra le visage, arrachant son voile au passage. Lily eut le temps d'apercevoir une horrible chair verdâtre en dessous, par laquelle s'écoulaient des maléfices répugnants.

Le loup se jeta à plusieurs reprises sur Marten, et finit par s'acharner sur les vêtements noirs... la seule chose qui restait d'elle. Mise en pièces, elle s'était désintégrée.

— Est-elle vraiment partie ? demanda Daniel, les yeux fixés sur le tas de tissu.

— Oui, dit Henrietta. Mais pas ça.

Georgie était tombée lorsque Marten l'avait lâchée, et était étendue sur les pavés, à côté de son beau chapeau à fleurs écrasé. Le loup de poussière se tenait près d'elle, plus rouge que jamais. Il reniflait sa gorge.

— Il va la manger ! s'écria Daniel.

— Il faudrait l'éloigner d'elle ! Je pense qu'il disparaîtrait s'il ne pouvait pas... se nourrir...

— Attends, j'ai une idée !

Daniel fit de grands signes au loup, qui le fixa de ses yeux rouges. Il sortit un mouchoir écarlate de la cachette dans sa manchette, et l'agita dans l'air.

Le loup posa un regard affamé sur le tissu couleur sang et hurla. Il fit un pas en avant qui l'éloigna un peu de Georgie, puis s'accroupit, prêt à bondir. Au dernier moment, Daniel recula contre le mur en lâchant le mouchoir, qui tomba en tourbillonnant vers le sol. Le loup changea de direction en plein saut pour l'attraper et entreprit de le dévorer.

Lily en avait profité pour accourir auprès de Georgie. Mais le répit ne dura que quelques secondes. Elle vit l'énorme créature grise revenir vers elle en crachant des morceaux de fil écarlates. Il était plus clair, moins opaque. Elle avait donc vu juste : s'il ne pouvait pas s'alimenter de sang, il allait disparaître... mais pas assez vite.

Lily regarda autour d'elle avec désespoir. Au pied du mur, Daniel cherchait un caillou, un bâton, n'importe quoi qui puisse faire office d'arme. Lily, elle, n'avait rien, en dehors de cette magie qu'elle ne savait pas utiliser. De toute façon, comment pouvait-on se défendre contre de la poussière ?

— Magie météorologique ! aboya Henrietta. Comme Arabel. Tu peux le faire, Lily, tu es une Powers, et ils étaient tous capables de changer le temps !

Lily leva les yeux vers le ciel, d'un bleu profond, limpide. Aussitôt, les grognements du loup de poussière s'intensifièrent.

— Bravo ! cria Henrietta.

Lily ouvrit la bouche, ahurie. Elle avait l'impression de ne rien avoir fait, et pourtant, le tonnerre grondait. Des gouttes tombaient déjà, de grosses gouttes de pluie qui s'écrasaient contre les pavés et creusaient des trous noirs dans la poussière.

Le loup se tordit sur lui-même avec rage, mais ses hurlements furent recouverts par les déflagrations du tonnerre, tandis que la pluie grignotait de plus en plus vite son manteau gris.

Quelques instants plus tard, Daniel se releva, chancelant. Avec Lily, il regarda le ruisseau rougeâtre qui s'était formé entre les pavés et disparaissait au loin. Georgie se réveilla et se frotta le cou avec une moue de douleur.

— Ça a marché ? Elle est partie ?

Lily l'aida à se redresser et continua à la soutenir, un bras passé autour de sa taille.

— Oui. Mais Georgie, la prochaine fois...

Elle soupira, et ne termina pas sa phrase. Georgie frissonna.

— Était-ce si terrible que ça ? Attends, je crois me souvenir... un *loup* ? Oh, Lily, je n'aurais pas dû essayer ! Je le savais !

— Ce n'était rien à côté de ce que Maman t'aurait fait faire si elle t'avait remis la main dessus. Oh, Georgie, tu ne te rappelles pas ? Le loup a mis Marten en pièces ! (Elle posa la tête sur l'épaule de sa sœur.) Tu nous as débarrassées d'elle. Tu as réussi. Je n'arrive pas à croire qu'elle n'existe plus !

— Votre mère sera furieuse, dit Henrietta en se léchant les babines avec satisfaction. Une bonne journée, vraiment.

Georgie la foudroya du regard.

— Tu es vraiment une créature inhumaine, tu sais ?

Henrietta haussa le menton.

— Nous devons tout de même partir, dit soudain Lily, dont le sentiment de triomphe se dissipait peu à peu. Même si Marten n'est plus là.

— Personne au théâtre ne vous trahira, plaida Daniel. Pourquoi ne resteriez-vous pas ? Si votre mère ne peut rien faire de mieux...

— Non. Nous devons trouver notre père. (Lily caressa doucement du doigt les écorchures sur le cou de sa sœur.) Il sera sûrement capable d'aider Georgie. Nous devons briser ce maléfice. Sinon, il nous suivra, où que nous allions.

Georgie tendit les doigts et les regarda, presque avec haine.

— Je sais. Je le sens en moi, en ce moment même. Il attend...

— Quoi donc ? demanda Henrietta, dont les yeux noirs avaient perdu leur joie.

— Je ne sais pas. Je ne sais vraiment pas.

Georgie ferma le poing, et Lily le prit doucement.

— Nous y mettrons fin. Nous trouverons Papa, et il saura quoi faire. Ensuite, tu seras libre, et tu pourras faire ce que tu voudras avec ta magie. Rien du tout, si tu préfères ! Tu pourras revenir ici, aider Maria avec les costumes, et oublier tout le reste. Pas vrai ? demanda-t-elle à Daniel qui hocha la tête en souriant, malgré sa tristesse.

— Et toi, que feras-tu ? l'interrogea Georgie en serrant la main de Lily avec reconnaissance. Quand nous serons libres ?

Lily regarda Henrietta, à court d'idées, pour une fois. Elle n'y avait jamais songé.

La chienne intervint :

— Commencez par briser le sort. Nous y réfléchirons après.

— Tu as raison.

Lily respira profondément, et frotta la dernière tache de boue rosâtre de son costume. Elle savait qu'elle devait libérer sa sœur.

Rien d'autre ne comptait.

TABLE DES CHAPITRES

Dépôt légal : juin 2013
N° d'édition : L.01EJEN001046.C002
Loi n° 49-956 du 16 juillet 1949
sur les publications destinées à la jeunesse
Achevé d'imprimer en Italie par NIIAG